全国普通高等院校书法培训教材

U0107227

BIZI JICHU JIAOCHENG

三笔字基础教程

田英章 编

上海交通大学出版社
SHANGHAI JIAO TONG UNIVERSITY PRESS

图书在版编目（CIP）数据

三笔字基础教程/ 田英章编. —上海：上海交通大学
出版社，2012（2018 重印）
　　（华夏万卷）
　　ISBN 978-7-313-08645-7

Ⅰ.①三...　Ⅱ.①田...　Ⅲ.①汉字–毛笔字–书法–
教材②汉字–钢笔字–书法–教材③汉字–粉笔–书法–教
材　Ⅳ.①J292.1

中国版本图书馆 CIP 数据核字（2012）第 120299 号

三笔字基础教程

田英章　编

上海交通大学出版社出版发行

上海市番禺路 951 号　邮政编码 200030
电话:64071208　出版人:谈　毅
四川省邮电印制有限责任公司·印刷　　全国新华书店经销
开本:889mm×1194mm　1/16　印张:8　字数:159 千字
2012 年 12 月第 1 版　2018 年 8 月第 2 次印刷
ISBN 978-7-313-08645-7/J　　定价:40.00 元

前　言

　　"三笔字"是指钢笔字、粉笔字和毛笔字。"三笔字"是教师传授知识信息、传播审美观念、传承民族文化、塑造自身形象所不可或缺的重要载体。写好"三笔字"是国家教育部对师范生提出的素质要求。

　　"三笔字"课程是高等师范院校学生必须选修的一门教师职业技能训练课程，其教学目标是培养学生能运用钢笔、毛笔和粉笔规范、准确、快捷、美观地书写汉字，并能掌握一定的书法简史和对书法的审美知识，为将来从事教育教学工作和指导学生写字做好准备。

　　随着电脑的普及，多媒体技术在教学活动中被广泛运用，造成大批院校的写字教育教学流于形式，课程形同虚设，学生自身也开始逐渐忽略书写的重要性。2011年教育部颁布了《关于在中小学开展书法教育的意见》，提出了在中小学开设书法课的要求，然而在实施过程中，各地均反映出书法师资力量匮乏的问题。造成这一现状的根本原因，就是教师在求学阶段没有接受到正规的书法培训，自身能力无法适应或承担当前的书法课教学。可见，随着教育部门对中小学生书写能力要求的不断提升，即将或正在从事教育教学工作的老师们也需要为此做好充分的准备。因此，加强"三笔字"的学习迫在眉睫，刻不容缓。

　　为了帮助大家在"三笔字"课程的学习中顺利达标，我们精心编辑了本教程。"三笔字"基本功练习，注重的是实用功能，它与高等专业书法教育是有区别的，因此我们将本教程的内容设置定位于立足传统毛笔书法、先毛笔后硬笔、先楷书后行书的半专业性质，以精练的语言介绍相关的技法特点，不拖沓、不深奥，突出体现即学即会的实用性。

　　(1) **毛笔书法**　我们以欧颜柳赵四体楷书的笔法、结构特点为基础，讲解了毛笔楷书的相关技法；毛笔行书则以王羲之《兰亭序》为范本，对相关笔法特点进行了介绍。

　　(2) **钢笔书法**　我们以当代著名书法家、书法教育家田英章老师的范字为准，详细介绍了钢笔楷书和行书的技法特点，辅以钢笔书法作品的展示，加深大家对钢笔书法之美的认识。

　　(3) **粉笔书法**　与实际教学紧密结合，在呈现粉笔楷书笔画及偏旁部首范例的同时，重点讲解了板书设计方面的知识。

当然，在进行"三笔字"学习前，我们对中国书法的发展史进行了梳理，对书法欣赏与作品创作方面的相关知识进行了介绍，力求以图文并茂的方式为大家呈现一个精彩的书法世界。

　　本教程不仅适用于普通高等院校，也适用于中高职学校，还可作为中小学教师的书法教学参考或书法爱好者的自学用书。

目 录

第一章 三笔字基础知识

2010 年，国家语委发布了《中国语言生活状况报告》的调查报告，报告指出国人汉字书写水平呈下降趋势，引起了人们对民族文化的深思。2011 年教育部颁布了《关于在中小学开展书法教育的意见》，提出了在中小学开设书法课的要求。重新修订并颁发的九年制义务教育《语文课程标准》对各学段学生必须进行的硬笔字、毛笔字书写明确了评估标准。由此可见，教育部门对学生书写能力的培养越来越重视，这就要求师范生及在职教师必须意识到"三笔字"学习的重要性，为今后的教学工作做好充分的准备。

第一节 学习三笔字的意义

教师职业的特殊性决定了在每天的教学过程中都要说话和写字，所以，普通话与"三笔字"被称为教师的基本功。"三笔字"是指钢笔字、粉笔字和毛笔字，写好"三笔字"是国家教育部对师范生提出的素质要求，也是教师必备的基本职业技能之一。

"三笔字"作为服务于教学活动的技能，需要广大即将成为人民教师的师范生或已经为人师表的教育工作者长期坚持不懈地练习。"三笔字"基本功练习，不仅有利于教师牢固地掌握汉字的正确书写，而且有利于提高自身的文化修养。"人正则书正"，对教师而言，"三笔字"的学习有着重要的意义。

一、培养热爱祖国历史文化的思想感情

汉字是世界上最古老的文字之一，也是目前世界上使用人数最多的文字之一。汉字具有极强的适应性和表现力，汉字的演变过程与中华民族的历史文化发展息息相关。通过对汉字的反复练习，在潜移默化中增强教师对祖国辉煌历史文化的热爱。

二、培养遵章守纪的个人意识

每一个汉字的书写都要遵循一定的法度，这就好比日常生活中存在的种种规章制度，是大家需要遵守的。在进行"三笔字"练习时，需要严格要求自己，认真按照相应规范书写，既掌握了正确书写文字的方法，又能培养严于律己的个人意识。

三、培养认真严谨的工作作风

"三笔字"的练习，不光是对个人书写技能的提升，同时也是对教学质量、对学生负责任的体现。因为要将自己的所学应用到日常教学工作中，所以对每个字都需要认真对待。这样做，有利于培养自己认真严谨的工作作风。

四、培养扎实过硬的意志品质和审美能力

"三笔字"练习时应专心致志、心无旁骛地分析每个汉字的书写特点，把字写规范、写端正，通过这一过程培养自己正确的审美观。"三笔字"练习与文字学、美学、文学、绘画、音乐、舞蹈等其他艺术有着密切联系，能不断拓展自己的知识阅历，提高自身的文化素养和审美能力。

第二节　学习三笔字的方法

学习"三笔字"要讲究科学的方法：一般应从毛笔楷书入手，待毛笔楷书有一定基础再转学毛笔行书等其他书体，具有了一定的毛笔基础，再练习钢笔字和粉笔字就会更加得心应手。历代学书者都离不开一条捷径，那就是临摹字帖。下面就为大家介绍几种常见的临摹方法，这些方法多适用于毛笔字的练习，钢笔字和粉笔字的练习也可借鉴运用。

一、双勾填廓

"双勾填廓"是摹帖的一种方法。所谓"勾"，指的是用一张透明纸（古代多用油纸）蒙在碑帖或真迹上，用很细的笔沿着字的边缘细心地双勾下来，注意边勾摹边揣摩该字的用笔方法和结字技巧，做到心领神会。然后，用笔填充双勾好的字形空白处，这个过程叫"填廓"。如果"双勾填廓"准确并能体现出碑帖用笔的转折、轻重和浓淡，则不但有助于我们掌握笔法和结构，而且可以加强视觉记忆，将各种字的优美造型铭记于心。"双勾填廓"多用于毛笔书写的练习。

二、描红

描红是摹帖的另一种方法。简单地说，就是用笔在印有红字的"描红本"上直接填写。描红时要注意以下几个方面：一是动笔之前，要认真分析帖中范字的笔法和它的间架结构；二是要注意笔画的形状，一次性描实红字的每一笔画，切不可复笔进行多次描改；三是要注意保持"描红本"页面整洁，防止"描红"时渗下墨水而玷污其他范字。

三、临帖

临帖，就是将所选的字帖放在面前，照着点画的笔势和字形去写。

（一）对临，即面对字帖，将它的用笔、点画、笔势、意趣、结构形态等作一番揣摩，然后以目导心、以心运手、振笔直书，摄取帖上的效果。有时为了重点突破，也不妨根据具体情况，从帖中选出自己认为好的或常用的字，集中进行反复临习；在临过某一字或某几个字之后，再与字帖进行对照，对比所存在的缺点，有目的、有重点地再进行临写。

（二）背临，又叫默临。就是将字帖中字的笔意结构默记于心，背着帖默写。这是在对临的基础上进一步加深理解的有效方法。书空也是背临的方法之一，就是指在没有笔、墨、纸的情况下，赤手作执笔状，书空演习；或用指空书于物体，如古人画被、画膝、画掌心等。

（三）读帖，古人又称之为"神摹"。即将字帖、名家墨迹置于案上或张于壁间，反复远近不一地观赏体味，领会其挥毫用意。边看边思索，从中汲取其表现技法的要领。阅读碑帖并不是读一两本或一两幅墨迹就能立即奏效的，而是要养成习惯，积少成多，逐渐地吸收消化，才能充实在字里行间。

第三节　中国书法发展简史

　　"三笔字"的学习，归根结底，就是对中国书法艺术的学习。因此，了解中国书法艺术的发展是很有必要的。

　　汉字是中国书法的表现对象，是书法艺术依附的载体。中国书法之所以能变具象为抽象，化物态于情思，把造化与心灵相结合，皆是由汉字的特质所决定的。许慎《说文解字》中关于汉字形体构造有"六书"之说，包括象形、指示、会意、形声、转注、假借，说明汉字对书法起到的作用不仅仅是独特的造型结构，书法的抒情性还是汉字的形、声、意最完美的结合。汉字发展到一定阶段而产生书法，书法因社会的变革而演变字体，不同时代的书家们对字体的艺术创造而产生了不同的风格和流派。

一、纷繁多样的先秦书法

　　中国书法是在汉字发展到成熟阶段时产生的。先秦时期是中国书法发展的初级阶段，可分为商周时期和春秋战国时期。商周的文字已具有用笔、结体和章法等书法艺术所必备的三要素，主要有甲骨文和金文，书法在这时已初步形成。春秋战国时期，随着七国割据，文字的地方色彩更为浓厚，逐步出现文字异形的现象：文字品式多样，风格不一，具有很高的艺术性。

大汶口文化·刻纹陶尊

大汶口文化·刻符陶尊

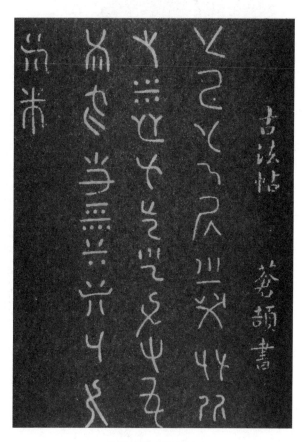

传说中的仓颉书法

祭祀狩猎涂朱刻辞牛骨

发现最早的文字——甲骨文　先秦时代的人习惯占卜，专职的占人可以从龟甲或兽骨烤后的裂纹上判定吉凶，然后记录在甲骨上。这种占卜的记录，也叫卜辞。因为是镌刻在龟甲、兽骨上的，便被称为甲骨文。

发现最早的青铜铭文——金文　古人称铜为金，因此在古代各种青铜器物上或铸或刻的铭文，叫做金文。而青铜器一般分为礼器、乐器两大类。礼器以鼎为主，乐器以钟多见，上面多刻有铭文，故也被称为"钟鼎文"。

发现最早的石刻书法——石鼓文　石鼓文是刻在鼓形石上的文字，是我国现存最早的刻石文字，被誉为"石刻之祖"。因内容记述游猎盛况，故石鼓亦名"猎碣"。

发现最早的朱墨毛笔书法——盟书　盟书，也叫"载书"，是春秋战国时诸侯之间外交上的一种誓约书。盟书为毛笔书写，字迹多为朱红色，也有黑色，质料有石有玉，结构严谨，用笔轻重提按富于变化，笔画舒展而有韵律，是当时用毛笔书写文字的完整篇章。

毛公鼎

《石鼓文》拓片

侯马盟书

发现最早的毛笔墨书古隶——青川木牍　在四川省青川发掘的牍片，字迹生动，纵有行，横无格。这种毛笔墨书古隶的发现，说明隶书在秦始皇统一六国之前就已经出现。

发现最早的丝织物书法——帛书　楚帛书是至今发现最早在丝织物上书写的长篇书法作品。此帛叠成两面，一面有 13 行纵写文字，翻面另有 8 行字，合计达 850 余字，用黑墨书写，现藏于美国纽约大都会博物馆。

青川木牍

《楚帛书》摹本

二、一统天下的秦代书法

春秋战国，七雄分争，神州大地，烽烟四起，诸侯割据，战乱不已。在这种分裂局面下，"言语异声"、"文字异形"在一定程度上阻碍了人们之间的文化交流。公元前 221 年，秦王嬴政灭六国而统一全国，建立了我国第一个中央集权的专制国家——秦王朝。此时，丞相李斯上奏秦始皇，废除六国与秦文不相符的文字，取秦国大篆进行整理、简化，统一而成小篆，也称"秦篆"。

秦代杜虎符上的金书

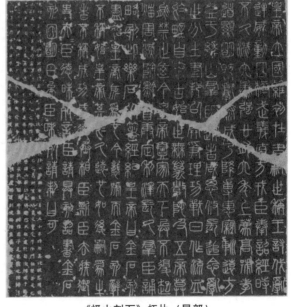

《峄山刻石》拓片（局部）

　　从中国书法发展的角度看，秦代是以小篆光耀史册。秦代刻石是最标准的小篆书体。秦始皇统一全国后，为巩固统治，加强影响，他带丞相李斯和百官巡视各地，刻石记功，以颂扬他的历史功绩，从而留下了珍贵的秦代刻石，相传为丞相李斯所书。秦始皇东巡刻石多已残毁佚亡，今所存者仅《泰山刻石》、《琅琊台刻石》，虽已残缺，但秦篆面目尚存，而《峄山刻石》、《会稽刻石》等均为后人翻刻，仅存字形格局，而神意俱失。另外，在秦代日常使用的书体，并不是像刻石那样标准的小篆体，而是一种比较草率、体方笔直的篆书，已接近于隶书，称为"秦隶"。秦代著名的书家有李斯、程邈、胡毋敬、赵高等。

《琅琊台刻石》拓片

三、承前启后的汉代书法

汉承秦制，初用篆书。后来，隶书得到快速发展，并在东汉进入鼎盛时期。草书（章草）也在汉代发展成为比较成熟的字体。石刻和简帛为汉代书法的主要载体。东汉中期，蔡伦发明了"纸"——这种最适宜于书写的材料，为人们提供了一个可以自由表达其书写意趣的新天地。两汉时期的书家对书法艺术进行了深入探索，使其呈现出繁荣昌盛的态势，创造了大批经典作品。

隶书的出现，是书法史上的一次重大变革。从此，书法告别了延续三千多年的古文字，字的结构不再是古文字那种象形的含义，而完全符号化了。隶书上承篆书，下启楷书，是一个质的转变和过渡。它打破了篆书单一用笔的局限，而有了十分丰富的变化。隶书成熟的同时，又出现了破体的隶变，发展成为章草，行书、楷书也已萌芽。

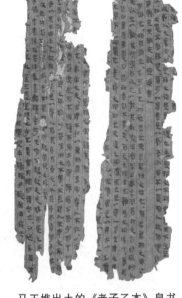

马王堆出土的《老子乙本》帛书

汉代隶书蕴涵着博大的气势，充溢着雄健的力量。我们今天见到的汉代隶书，多是凭石碑上的文字保留下来的。当时的书者并没有在石碑上留下他们的姓名，后人只好以某碑或某碑铭文内容为其命名，例如：《乙瑛碑》、《史晨碑》、《礼器碑》、《石门颂》、《曹全碑》、《张迁碑》等。

《张迁碑》拓片（局部）

《曹全碑》拓片（局部）

《乙瑛碑》拓片（局部）

汉代社会对于书法的重视超过了秦代，其间涌现了许多著名的书法家。据史书记载的有曹喜、杜度、王次仲、崔瑗、崔寔、张芝、蔡邕、师宜官、刘德昇、梁鹄等。

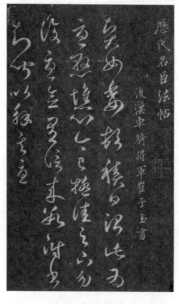

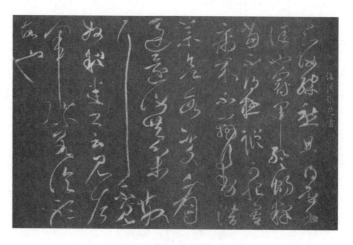

传为张芝《冠军帖》

传为崔瑗《淑女帖》

四、 崇尚气韵的魏晋书法

东汉王朝的崩溃，使原有的文化观念和制度遭受冲击。少数民族入主中原，带来了新的观念、习惯，虽与汉族文化有冲突，然而两者也必然有所互补。这一切，使得中华文化再一次进入活跃和拓展的阶段，书法也面临许多挑战和机遇。纸的应用至此已经普及，为书法家的挥运提供了基本的保障。魏晋书法在此背景下，取得了突出的成就。

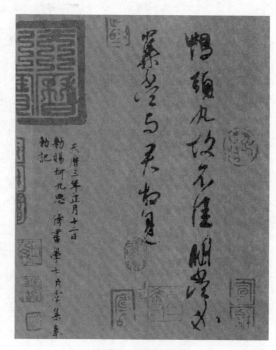

王羲之《快雪时晴帖》

王献之《鸭头丸帖》

楷、行、草等字体在这一时期得到迅速发展和完善。涌现了多位在书法史上极具影响力的大书法家，在风格的开创和典范的树立上具有无可取代的意义，深刻影响了中国书法史的发展。书法作为艺术的许多基本观念在这一时期被揭示，不仅形成理论，而且被贯彻到实践中，从而使书法的艺术性质得到了强化。

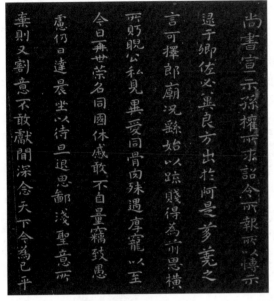

钟繇《宣示表》（局部）

皇象《急就章》（局部）

三国时期，魏国的书法发展比较突出，这与曹操的喜好有关。建安十年，曹操发布了禁碑令，虽然扼制了隶书的应用空间，但同时却为楷、行书的发展提供了机遇。钟繇在楷书领域的开创性贡献，为后来二王父子奠定了坚实的基础。

曹操像

《衮雪》拓片

西晋时期，朝廷设立书博士，设弟子员，以钟繇、胡昭二人书法为标准，教习书法。西晋产生了一批卓有成效的书法家，是章草向今草转化、行书走向成熟的过渡期。

东晋和十六国长期处于南北对峙的局面。这一时期的人们，特别是世家大族，寄情于书法，使其表情达性的功能被强化，字里行间的蕴意得到扩展。以王羲之、王献之父子为代表的东晋行、草书，不仅使行书作为一种字体完全定型，而且他们本身也在书法艺术上树立了新的高峰。北朝由于佛教的传入，石刻之风盛行，后人把遗留下来的石刻文字称为"北碑"，也叫魏碑。

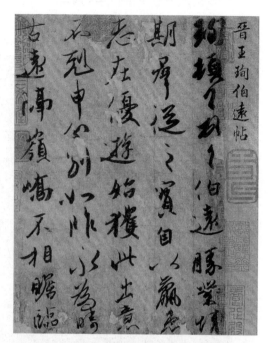

魏晋时期的书法大家还有卫恒、索靖、陆机、皇象、王珣等。

王珣《伯远帖》

《始平公造像记》拓片

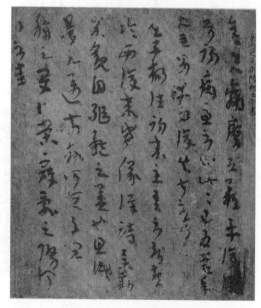

陆机《平复帖》

五、崇尚法度的隋唐书法

隋朝立国时间较短，书法虽臻于南北融合，却未能获得充分发展，但为唐代书法的发展起了先导作用。隋朝最著名的书法家当推智永和尚，他用了30年时间书写《真草千字文》八百本。其书传王羲之而有所变化，平正和美，体兼众妙。隋代碑刻和墓志书法流传较多，这些碑刻和墓志，结体或斜画竖结，或平画宽结，或秀朗细挺，都能符合变化，自成面貌。著名的碑刻有《龙藏寺碑》、《董美人墓志》、《苏孝慈墓志》等。

智永《真草千字文》（局部）

《董美人墓志》拓片（局部）

在书法发展史上，唐代是晋代以后的又一高峰。这一时期，楷、行、草、篆、隶各书体都得到了蓬勃发展，也涌现了许多影响后世的大书法家。其中，尤以楷书和草书的成就最高。唐代书法可划分为三个阶段：初唐、盛唐和晚唐。

初唐，社会安定，经济日益繁荣，书法亦蓬勃发展。朝廷定书法为国子监六学之一，设书学博士，以书法取仕。唐太宗李世民喜好书法，倡导书学，并竭力推崇王羲之的书法，这对唐代书法发展和繁荣起了重要的作用。历代盛称的"初唐四家"——欧阳询、虞世南、褚遂良与薛稷，代表了初唐书法风格。

欧阳询《九成宫醴泉铭》（局部）

虞世南《孔子庙堂碑》（局部）

褚遂良《伊阙佛龛之碑》（局部）

颜真卿《多宝塔碑》（局部）　　柳公权《玄秘塔碑》（局部）

盛唐，随着社会经济的繁荣，文化艺术也有很大的变化和发展。书法风格由初唐方整劲健趋向雄浑肥厚。楷书和草书逐步形成了新的风格。这时，出现了颜真卿、柳公权、张旭、怀素等书法大家，他们分别在楷书和狂草方面开创了新的境界。其中，颜真卿、柳公权在楷书上赫然卓立。颜体宽博雍容，端严健壮；柳体精悍利落，爽朗有神，两者并称"颜筋柳骨"。篆隶二体在此时也重现书坛。

张旭《肚痛帖》（局部）

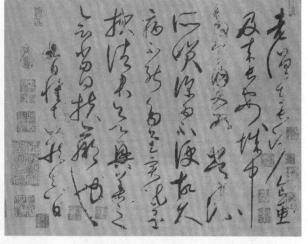

怀素《食鱼帖》

晚唐，随着国势渐衰，书法也没有初唐、盛唐兴盛，但也出现了诸如杜牧、高闲、裴休等书法家。

书法理论在唐代也取得了卓越的发展，如孙过庭的《书谱》、张怀瓘的《书议》等。

孙过庭《书谱》（局部）

六、崇尚意态的宋代书法

宋朝书法尚意，此乃大倡理学所致。"意"之内涵，包含有四点：一是哲理性，二是书卷气，三是风格化，四是意境表现。同时，还提倡书法创作中个性化和独创性的发挥。提到宋代书法，就不能不提"宋四家"。"宋四家"是指北宋时期的四大书法家：苏轼、黄庭坚、米芾、蔡襄，简称苏、黄、米、蔡。他们的书法各臻其妙，是宋代尚意书法的代表。

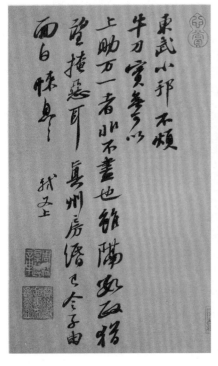

苏轼《东武帖》

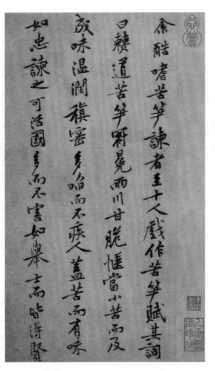

黄庭坚《苦笋赋》（局部）

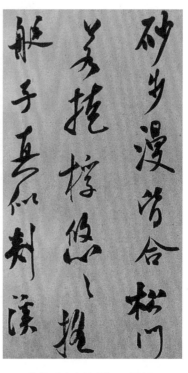

米芾《砂步诗帖》（局部）

宋人学书法，多以唐朝颜真卿和五代杨凝式的字为范，而上追王羲之。直到"宋四家"的出现，才正式确立宋代书法的风格。苏轼书法刻意创新，笔圆而韵胜；黄庭坚书法英俊挺秀，书得笔外意；米芾书法学古人最多，用笔技巧更胜；蔡襄书法以楷书见长，字体娇娆。另外，宋徽宗赵佶也擅长书法，以"瘦金体"传世。

赵佶《闰中秋月帖》（局部）

南宋时期的岳飞、陆游、文天祥则以爱国主义激情将民族危难的悲愤寓于书法之中而冠领书坛。宋初雕版印刷技术在书法艺术传播上的应用，对于书法艺术的广泛继承和创新起了极大的推动作用。

毕昇发明活字印刷术

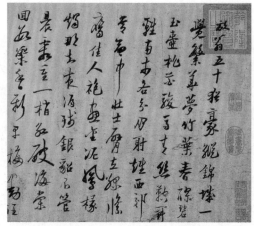

陆游《怀成都十韵诗卷》(局部)

七、追求复古的元代书法

统一中国后，元朝的统治者深知文化相融的重要性，十分重视文艺教化。重开科举制度，广泛选拔人才；复兴儒学；大兴宗教，各种宗教信仰在这个时期同时并存……这就为书法艺术的发展创造了条件。元代书法，初期多继承唐朝颜真卿以及北宋苏轼、米芾的书风，善书者虽不少，但成就并不明显。

元代书坛巨匠赵孟頫以复古为革新，挽救时弊，另辟新途，振兴魏晋古法，以"贵有古意"的复古旗号为中国书法发展注入了新的活力。赵孟頫是中国文艺史上少有的全才，除书法外，他还擅长绘画，精通文学，通晓音律，熟谙道释。

除赵孟頫外，元代著名的书法家还有鲜于枢、康里巎巎等。

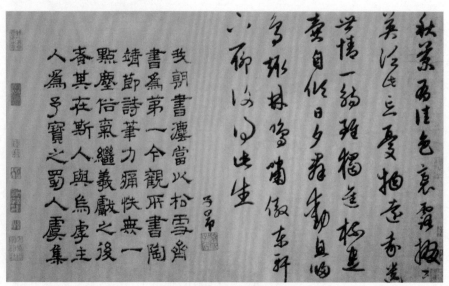

赵孟頫《陶诗秋兰有佳色》

八、帖学盛行的明代书法

明代书法继承宋元帖学而蓬勃发展，是一个流派纷呈、百花齐放、书家辈出的时期。明代书法的发展大致可以分为三个时期。

明初，基本继承了元代的典型书风。当明成祖迁都北京后，培养了一批御用书家，遂使台阁书风兴起。明初书家以"三宋"和"二沈"最为出名。宋克楷书取法钟繇；宋璲小篆明朝第一；宋广草书精熟。沈度被皇帝朱棣誉为"我朝王羲之"，是明代"台阁体"的代表人物；沈粲以草书为主，行笔娴熟丰润，姿态万千。

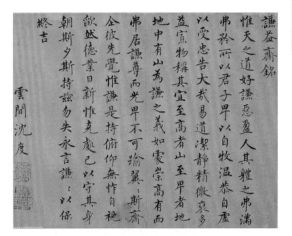

宋克《急就章》（局部）　　　　　　　　沈度《谦益斋铭》

明中，江浙一带经济逐渐发展，一些文人淡于进仕，逐渐成为具有职业化特征的书画家，以出售书画为生。"文人化"的清雅气息逐渐减弱，而好异尚奇之风逐渐兴起。明代中期，书法风格大变，文人书风极盛，"吴门派"书画于苏州崛起，代表人物有沈周、文徵明、唐寅、祝允明等。

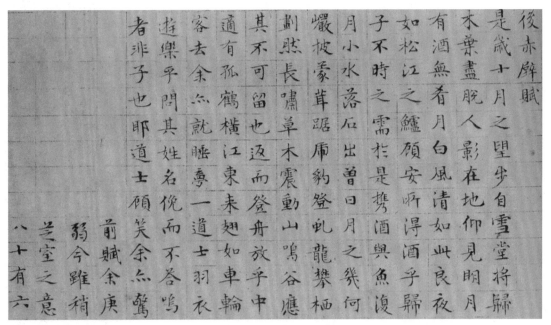

文徵明《后赤壁赋》（局部）

明末，国内的政治斗争日趋激烈，个性解放思潮蓬勃发展，而来自外部的军事压力渐渐增大。内忧外扰之下，书法领域也出现了一次重大的变革，狂放书风成为书法发展的主流。卓然而立的书法家有徐渭、董其昌、邢侗、张瑞图、米万钟、黄道周等。

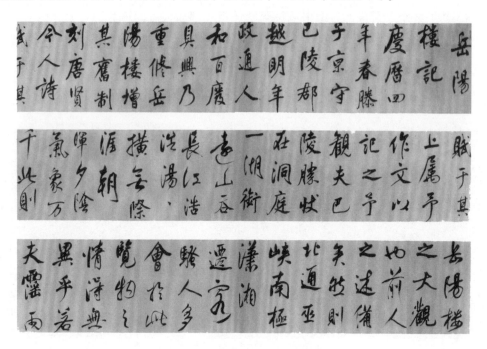

董其昌《岳阳楼记》（局部）

九、书道中兴的清代书法

正所谓书道中兴，即清代是书法发展史上的转型和总结时期。清政府从实现长久统治的政治目的出发，采取了两项文化政策：一是大兴文字狱，以遏制任何可能的文化反抗；二是主动对中国传统文化进行整理。正因如此，人们开始倡导通经致用，朴学逐渐兴起。在朴学学风中成长的金石、考据学，让人们重新发现了秦汉、北朝书法的艺术价值，从而形成清代书法发展的新格局。

清初，国势初平，百废待兴，因此这时期基本上延续晚明书风。康熙在位六十一年，酷爱董其昌书风；乾隆在位六十年，其喜欢赵孟頫书风。因此，整个清朝前期的朝廷官员书法多数都受董、赵书风的笼罩。清初的篆隶，在晚明基础上有一些进展，声势渐壮。这一时期书坛的代表人物有王铎、傅山等。

清中期，董、赵的影响渐弱，人们向古代传统书法的追寻逐步深入，这使得篆隶书法的复兴步伐加快，对传统书法的学习范围也大大扩展。这一时期的代表人物有刘墉、梁同书、王文治、翁方纲、伊秉绶等。

清晚期，阮元、包世臣倡兴碑学，从理论上鼓吹秦汉北碑传统在书法史和书法美学系统中的地位，使之成为一时显学。但深入实践的许多书家并未完全照搬，而是各取所长，寻求融合之道。晚清的著名

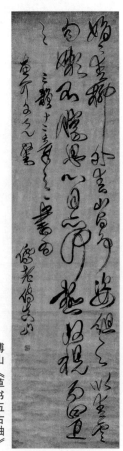

傅山《草书五古轴》

书家有林则徐、吴大澂、何绍基、赵之谦、康有为、吴昌硕等。

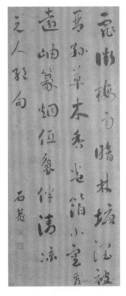

刘墉《元人绝句》

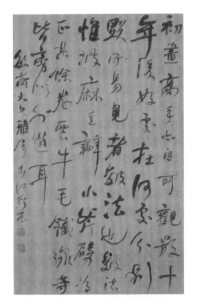

何绍基《论画语》

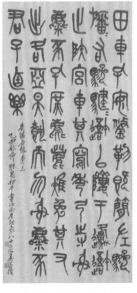

吴昌硕《临石鼓文》

康有为《四言诗》

第四节　书法艺术创作与作品欣赏

不论使用毛笔、钢笔、粉笔，我们都能够书写出属于自己的书法作品。书法创作是将我们所学的书写技法融会于作品的过程。在进行书法创作时，我们需要遵循哪些要求呢？

（一）确定书写内容　即首先应考虑所书写的内容是什么。好的书法作品，总是与健康而华美的文字内容分不开。文字以书法的艺术形式固定下来，它的意义融化在视觉的形式之中并为这一形式增加了思想内容，使人在反复观赏的同时，获得一种乐趣。华美词章为书法作品锦上添花，耐人寻味。

（二）把握作品基调　一幅好的书法作品，尽管线条、结体、章法多姿多彩，但却只有一个贯穿全篇的感情倾向。犹如音乐中反复出现的主旋律一样，它可以使作品的内容更为充实，意境更为深化。如果没有这个基本的调子，就显得平庸呆板、淡情寡味。因此，我们在创作书法作品时，要很好地把握基调并探索最适当的表现手法。

（三）预想书写字体　在书写时先要有清晰的内心视觉，对字的安排设置做到成竹在胸，闭目如在眼前，才能"翰不虚动，不必有由"，收到预期的效果。书法创作应该借感情和物象的激发和启示，心中有所酝酿，字形在脑海中有了清晰的意象，再用笔书写。当然，平时也要不断地培养和充实自己，书写时才能情到笔随。

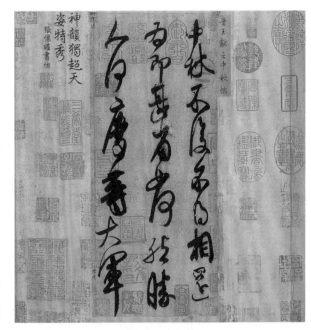

王献之《中秋帖》

（四）**合理谋篇布局** 按照文字内容、感情基调、字数多少以及字体与书写格式加以适当的空间分配，是书法创作过程中的主要环节。"积画成字，积字成行，积行成幅"阐明了字与章法的关系。字形结构是点画与点画之间的关系；章法布局则是字与字之间的关系。一幅作品，不讲章法的整体效果，就没有起伏动静的情态，也谈不上节奏气韵、精神风度和美的享受。所以，章法是一幅作品的通篇艺术处理，包括书体、格式、幅面、落款、印章等。

（五）**注意感情抒发** 写文章讲"情动于衷而形于言"，心中有所感受，如鲠在喉，不吐不快，才发而为文的。书法创作也是同样的道理，心中有所积蓄，将杂念一概排除，把平时孕育的情感重新酝酿起来，然后命笔挥洒，使感情渗透在笔墨之中，成为一种美感的抒发。这种自我感觉的精神状态对作品的成败也有很大影响。一幅书法作品，如果没有感情，即使点画、结体等其他方面都合规入矩，也会缺乏艺术的感染力。

颜真卿《争座位稿》

中国书法艺术具有几千年的悠久历史，是中国传统文化的重要组成部分，也是中国独有的艺术门类。因此，有其独特的审美标准。南朝书法家王僧虔在其书论著作《笔意赞》中说："书之妙道，神采为上，形质次之，兼之者方可绍于古人。"提示了书法创作与鉴赏中，形与神的辩证关系，强调以形写神、神形兼备的艺术效果。

观赏一幅精彩的书法艺术作品时，往往使人产生一种激动的情绪，沉醉于一种美好享受之中。而面对一幅书写平庸的手笔时，也许可以从字义内容中有所教益，却很难享受到书法线条之美带给人们那强烈而浓郁的艺术感染力。这是为什么呢？正是因为书法作品不同于一般的应用文字书写。它是按照美的意图来塑造文字，进而深化文字所包含的思想内容，使文字和内容更富有强烈的感情色彩和艺术魅力。所以，书法艺术欣赏的过程，就是人们接触书法作品时所引起的一种富有感情和想象力的思维过程。它需要欣赏者既能体验作品的笔墨技巧，又能读懂显现于笔墨之中的思想感情。欣

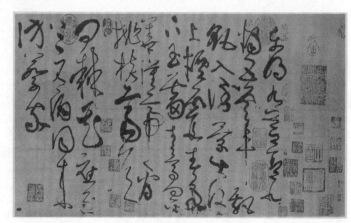

张旭《古诗四帖》（局部）

赏书法，要从书法的点画线条、书法的空间结构、书法的神采韵味等方面进行体会，点画线条和结构造型是形质的体现，而神采韵味是内在透露出的精神气质。

书法艺术是由笔法、结构以及整幅的章法布局等因素构成的。我们在欣赏作品时，必须以这些因素作为"入门向导"去深探书写者的情感。凡是优美的书法作品，在上述几个方面都必须具备能够吸引欣赏者的共同特点，这是诱发人们欣赏的基本条件，也是我们评价艺术性高低的主要标准。

（一）要讲规矩

书法的用笔、结构布势、谋篇布局所呈现出的神采、风韵、气势，无不包含着规矩。掌握规矩之后方可言变化之妙。古人讲"规矩尽而变化生"，"从有笔墨处求法度，从无笔墨处求神理"，"出新意于法度之中，寄妙理于豪放之外"，就是讲书法先重法度，进而才能超脱理法、出神入化，不能不讲基本的书法技巧而随心所欲。

总之，历代书法大家总是善于在严格的法则限制中自由驰骋并施展其创新才能，所以他们的作品看似任情恣性，而又不流于荒诞狂怪。

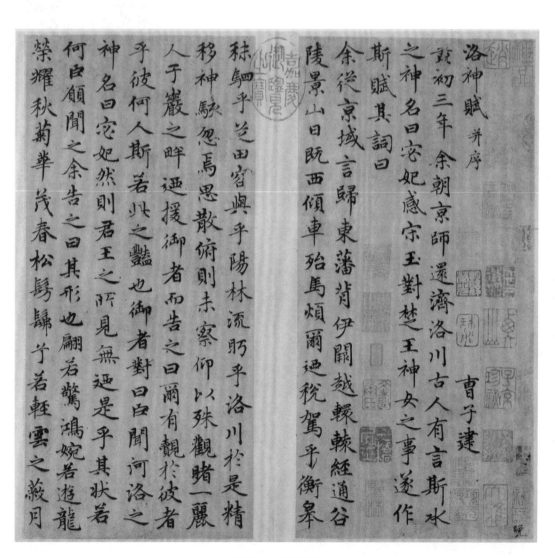

赵孟頫《洛神赋》

米芾《值雨帖》（局部）

（二）要讲力度

字要写得力饱气足，精神奋发，使人感到有一种"内劲"。线是书法艺术的主要审美因素，线条之美关键在于有力。点画线条的力量感是线条美的要素之一。笔力好坏直接影响一件书法作品的质量。应该强调的是，书法用力不是张扬外露、剑拔弩张的物理意义上的力量，而是在笔法精熟的基础上线条中蕴涵的"骨力"。人们在写行草书时，笔画中常带一种很细的线条书法，叫"游丝"。这种笔画之间的萦带线条也十分讲究阴柔之力。

（三）要讲字形

字形是指字的结构形态。与其他文字相比，汉字本身就具备"形美以感目"的造型特点。历代书家们一直主张：为书之体，须入其形。王羲之认为"倘一点失所，若美人之病一目；一画失节，如壮士之折肱"，足见其对书法结字造型的严格要求。每个字的长短、大小、疏密、收放、宽窄、肥瘦天然不齐，各具其态。有造诣的书家总是能处理好这些关系，意随心到，笔随势生。

（四）要讲气韵

作为艺术品的书法，不但要求具有外观美的字形，更要讲求精神内涵，具有奕奕动人的风采和韵致，这就是我们经常对一幅作品的评价——传神。张怀瓘指出："一点一画，意态纵横，偃亚中间，绰有余裕。结字俊秀，类于生动，幽若深远，焕若神明，以不测为量者，书之妙也。"一件书法作品的"妙"处在于生动的气韵、飞扬的神采以及空间余白所构成的幽深而旷远的意境。

我们在欣赏一幅作品时，要先从全幅着眼，看整体艺术效果，再根据这个总的印象去寻味字的形体结构，点画的情态，用笔力感，最后沉醉于它优美的意境之中，心灵得以净化和启迪，从而感受到书法的乐趣。欣赏作品的最高境界是"神观"，即先看总体构局首尾呼应、上下衔接、参差错落、虚实照应等所形成的章法布白和意境的空间美，这是从大处着手。再看它灵活多变、千姿百态的点画线条所形成的顾盼有致的字形结构，这是从小处着眼。最后，领悟它绚烂之极而复归平淡、浓纤间出而枯湿隐显所形成的特定氛

文徵明《滕王阁序》（局部）

围。这几方面相互关联而统一于"气韵生动"之中。所以,"气韵生动"是书法艺术作品生命力的节奏与作者精神境界的凝聚,是构成一幅书法作品形神兼备、情景交融、富有诗意的基本因素和审美要求。

综上所述,规矩、笔力、字形、气韵这几个因素是对书法艺术缺一不可而又相互联系的审美标准。正是这几方面浑然一体的有机结合,才构成了书法作品的内在生命与对比和谐的艺术美。

"天下三大行书"感情抒发赏析

《兰亭序》是东晋穆帝永和九年(公元353年)三月三日,王羲之与谢安、孙绰等数十人在山阴(今浙江绍兴)兰亭"修禊"会上为大家作诗而书写的序文手稿。序中记叙兰亭周围山水之美和聚会的欢乐之情,作者抒发人生好景不长,生死无常的感慨。由于在"天朗气清,惠风和畅"的氛围之下,故在艺术风格上属于平和、静穆一类。运笔跌宕起伏,有藏有露,中侧锋交替使用,变幻莫测。结体欹正多变,章法疏密有致。相传他在酒醒之后重写此作数遍都不能再度表现当时的心境。《兰亭序》流传至今一千多年来,被历朝历代推崇,誉为"天下第一行书"。

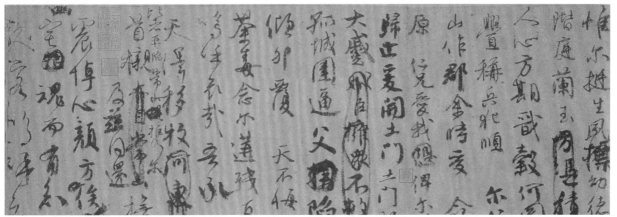

《祭侄稿》又称《祭侄季明文稿》,是颜真卿悼念从兄颜杲卿之幼子颜季明的祭文草稿。颜真卿在极度悲愤中写下这篇祭文。此文书写过程中感情变化跃然纸上,前12行道婉,从"尔父"后6行大多运用屋漏痕笔法表现郁怒之情。从"移牧"至"尚飨"最后5行沉痛切骨,使人动心骇目,有不可形容之妙。通篇作品运用圆转遒劲的篆籀笔法,开张自然的章法结体,率真随意的圈点涂改,渴笔枯涩的笔墨技巧,可以强烈地感受到颜真卿刚烈耿直、奋笔疾书、纵横挥洒的情感起伏和宣泄过程,与风格迥异的《兰亭序》形成鲜明的对比,被誉为"天下第二行书"。

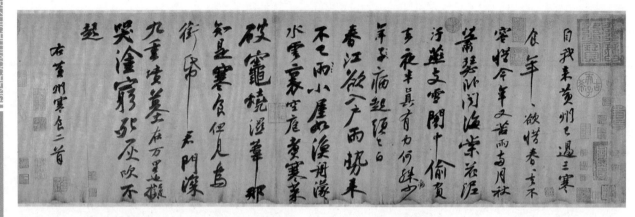

《黄州寒食帖》是苏轼行书诗稿，作诗时正是他被贬官至黄州，心情格外沉重，所以诗的内容充满悲苦、凄凉、抑郁的情绪。开卷几行比较严谨，从"春江欲入户，雨势来不已"之后渐进入心手双畅境界，字体时大时小，时紧时疏，折射出作者愤愤不平的心情。通篇布局前小后大，由工整到奔放。情感前抑郁后愤慨。此帖与《兰亭序》的平和、《祭侄稿》的激昂不同的是：用笔墨反映出一个失意文人的失落和抑郁之情。因而被誉为"天下第三行书"。

第五节　书法常用幅式

我国书法在长期实践中格式、装帧形成了丰富多样的传统幅式，在艺术处理上形成了许多独特规范的形态式样。这些具有民族特色的传统幅式，极大丰富了中国书法的形式美。这些幅式不仅适用于毛笔书法创作，对于钢笔书写作品以及粉笔板书的谋篇布局都有很好的借鉴作用。

一、中堂立幅

立幅通常用三尺、四尺、五尺、六尺、八尺规格的纸竖着书写，因其常悬挂在客厅、堂屋正中醒目位置，故曰中堂。它是一种常见的书法创作幅式。书写中堂，每幅从一字到百字、千字以上均可，可以写盈尺大字，也可以写蝇头小字，字体不论，但每一幅的内容要有头有尾、完整独立。书写时要特别注意行间空白的经营。印章可分盖闲章和名章。值得注意的是题款要小于正文，多用行书题款，印章宜小不宜大，盖章时前要低于正文起首文字，后不能低于正文最下面一行文字。

二、条幅

条幅是窄于中堂立幅的一种书法幅式。视觉上呈长条状，多用三尺、四尺、六尺规格的纸竖着书写，也可以对开竖对折或三横开（横三折）

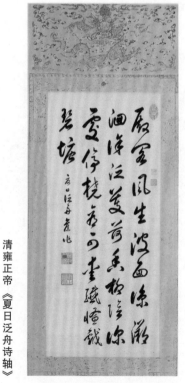

清雍正帝《夏日泛舟诗轴》

后竖着书写。

条幅内容文字多少应与条幅的宽窄度相协调，一般有单行加题款和多行加题款两种形式。在章法上，题款文字应小于正文文字，题款和钤印不能超过正文高度。款识文字多用行书题写，印章宜小不宜大。

三、条屏

条屏可分为四扇屏、六扇屏、八扇屏、十扇屏等，但只能是四以上的偶数，一般不为奇数。其章法大致有以下几种：

一是每扇条屏各为一首诗（词），每首诗（词）各用一种书体书写，其章法统一。若一位作者书写，可在最后一条落款钤印，若是四位作者书写，则每条都要有书写者的落款钤印。

二是所有条屏内容是一首长诗或一首词。一般情况由一位作者用一种书体书写，各条屏要统一，每一条字数基本相等，最后一条落款钤印。

三是每扇条屏的内容不一致，但书体一致，每扇条屏均有款识或钤印。

王宠《草书诗轴》　　　　　　　　　　李瑞清《鹤铭四条屏》

四、斗方

斗方是长宽比例为 1 比 1 的正方形书法作品，通常有三尺方、四尺方、六尺方等多种幅式。斗方是一种万能幅式，因其既可以向四周加绫装裱成方形，也可以上下加绫装裱成立幅，还可以左右加绫装裱成横幅。

斗方作品常用四字加题款钤印，也可少到一字多到数十字，甚至上百字，内容灵活多变。在章法上相同于一般书写格式要求。

五、横幅

横幅又可称为横披，通常用三尺、四尺、六尺、八尺规格整纸横着书写。这是书法幅式中的横向模式，相当于把条幅变为横向使用，只是在谋篇布局时一定要考虑到"横"的幅面要求，行与行之间的关系要处理得当。

横批也可分为大字榜书加题款钤印和多行正文加题款钤印两种形式，书法格式非常灵活，但章法上必须遵循款识小于正文、印章宜小不宜大的一般格式要求。

用榜书写的牌匾用以标明某一建筑物或居住单位名称的称为匾额。章法布局上横匾与横披相同，竖匾与条幅相同。

斗　方

横　幅

吴熙载《五言诗扇面》

六、扇面

一般可用于书法创作的扇面分为折扇和团扇两种。折扇又叫摺扇或折叠扇，这种扇子外形不规整，所以书写时在章法布局的处理上也大有不同，布局格式丰富多彩。为避免拥挤，一般上弧字多，下弧字少，书写时相邻两行一行字多，一行字少，循环往复；多字行基本等长，少字行基本等长，疏密参差，灵活布局。团扇有椭圆形、葫芦形、心形等多种形式，书写时也需用长短句式，随形布局，落款钤印不要喧宾夺主，这样才能协调、美观。

赵佶《草书团扇》

七、对联

对联又称楹联、门帖、对子，即门上所贴的联语，是书法艺术中应用最为广泛的一种表现形式。

对联在今天主要有两种用途：一是挂在室内作为艺术品欣赏，不但具有装饰效果，还有对人的激励和鞭策作用；二是节日和新年用的春联和对子，以示吉祥和喜庆。

对联的形式是由左右对称的两件竖条联成一体。常见的有四字对、五字对、七字对等，也有数十乃至百字的长联。

书写对联不仅要求上下联均衡对称、行间排列高低齐平，而且讲究像写诗歌一样的修辞对仗。上下款分别落在两联外侧空疏处，上款略高，下款稍低。有时款字较多，也可在对联内外侧都落款。如果是只落单款，则落在下联。对联正文在两行以上的，书写时，上联从右至左书写，下联则从左到右书写，其状如门，故称为"龙门对"。落款钤印分别于对联的内侧空疏处。

伊秉绶《七言联》

八、手卷

手卷为横幅，为便于携带，高在一两尺，横宽则不受限制，可长可短。可装卷轴，展收方便，故称"手卷"。可通篇为一件独立的作品，也可以是在限定的高度内多幅合装。既有书法或绘画，亦有书画合一的卷子。而与大量题跋合为一卷者。较长的手卷亦名"长卷"。展阅时，一般将手卷置于案头，自右而左，边卷边看；也可整卷展开观赏。收卷时，则从左向右卷起。

手卷书写内容，可以是一篇较长的诗文，也可是一组较短诗文的连缀；通篇一般用一种书体，也可多体交叉。历代许多书法名迹都是手卷，如隋代智永的《真草千字文》、唐代孙过庭的《书谱》、唐代怀素的《自叙帖》、宋代黄庭坚的《松风阁诗》等。

祝允明《燕喜亭等四记卷》（局部）

九、册页

册页是由多张小幅作品组合而成，是书画者为方便交流、欣赏、收藏而用小幅荟集成册的一种形式。册页可以单幅成章，也可以单页成体，楷行隶篆、诗词歌赋都可以汇于一册之中，一人一册、多人一册，随心所欲，是一种十分灵活的书法形式。

册页书法以小字为主，大字用于前面题名，落款钤印相同于书法章法的一般规律。

刘墉《小楷七言诗册》

十、题画

题画指附着于绘画画面的题字，这是中国传统绘画艺术的显著特色之一。从书写角度讲，题画要审视画面整个格局，匠心经营，然后相机书写，使题写的内容要给画面以补充，能够深掘画意，开拓意境。在书写前应首先领会画境的含意及风格，再找出适合书写的空白位置，然后确定书写内容、字体大小、书体风格等。

徐贲《峰下醉吟图》题画

第二章　毛笔书法

狭义的书法就是指用毛笔书写汉字的方法和规律。毛笔书法是中国特有的传统艺术。古时候的人们以毛笔书写为主，正是在这一过程中产生了书法。至于其他书写形式，其书写规律与毛笔基本相通。楷书也叫正楷、真书、正书，从隶书逐渐演变而来，更趋简化，字形由扁改方，笔画中简省了隶体的波势，横平竖直。楷书经过两千多年的发展，可谓书家辈出，人才济济，更有国人公认的楷书四大家：欧阳询、颜真卿、柳公权和赵孟頫。本章将重点介绍四体（欧颜柳赵）楷书的笔法特点及结构布势。另外，我们还将以《兰亭序》为例，为大家介绍王羲之行书的技法特点。

第一节　书写工具

笔、墨、纸、砚历来被称为"文房四宝"，毛笔被列为文房四宝之首。毛笔是中国古代书写文字的基础工具，正是因为毛笔的使用，书法线条的刚柔、枯润、方圆、轻重才有了丰富的表现。

相传，毛笔是秦代大将蒙恬发明的。近年来考古发现表明，毛笔的产生，大约可追溯到两千多年之前。东周的竹木简、缣帛上已广泛使用毛笔来书写。到春秋战国时，毛笔的制作和使用已经相当普及。唐宋时期的制笔工艺就有很高水平，到了明清制笔技术更有提高，是中国制笔业的鼎盛期。毛笔是由笔毫和笔杆两个部分组成的。依据笔毫的原料不同分为羊毫笔、狼毫笔、紫毫笔和兼毫笔几种。

毛　笔

从殷墟发掘的甲骨中，有墨书甲骨一类，一般都是写在正面的。可见，殷代已掌握了用墨书于甲骨。墨大多被制成锭状。墨在使用之前，先在砚台中加入适量清水，然后持墨锭均匀研磨，磨成浓淡适中的墨汁，再用墨汁书写。墨是书写汉字不可缺少的工具，因此古代又将文人称为"墨客"，汉字书迹又被称为"墨迹"，珍贵的书法作品又被称为"墨宝"。墨历来备受文人、书画家们的喜爱，并加以收藏。随时代的需求，出现了观赏墨及礼品墨。

墨

纸距今有两千多年的历史，是我国古代"四大发明"之一，对世界文明的发展作出了巨大的贡献。东汉的蔡伦改进了造纸方法，首创用植物纤维造纸的方法。唐代以后，我国造纸业不断发展，宣纸成为毛笔书写的最佳载体。有宣纸的记载最早见于唐代。宣纸具有"韧而能润、光而不滑、洁白稠密、纹理纯净、搓折无损、润墨性强"等特点，并有独特的渗透、润滑性能。书画家利用宣纸的润墨性，控制了水墨比例，运笔疾徐有致而能达到一定的艺术效果，再加上耐老化、

纸

不变色、少虫蛀、寿命长，故宣纸有"纸中之王、千年寿纸"的誉称。按照纸面洇墨程度分类，宣纸分为生宣、半熟宣和熟宣。

砚即砚台，为研墨和盛墨的工具。砚台主要由石、泥、玉、瓷、紫砂等材质制成，其中石质最为常见。据考证，西晋期间的砚台多为青瓷砚。隋唐时期，制砚工艺迎来一个辉煌的时期，生产了著名的端砚、歙砚、洮砚和鲁砚，这四类石砚并称为"中国四大名砚"。近现代以来，毛笔的使用日益减少，再加上墨汁的广泛使用，研墨的实用功能也在逐步丧失。但是，砚作为具有我国传统文化特色的文玩，仍然以其名贵的材质和精美的工艺，受到国内外人士的青睐，成为人们收藏馈赠、观赏把玩的工艺品。

砚

第二节　书写姿势与执笔、运笔

学习毛笔字，首先应掌握正确的书写姿势和执笔、运笔方法。只有这样，使用起毛笔来才能得心应手。

一、毛笔的书写姿势

坐姿：上身不得歪斜，略向前倾，但身体不得靠桌沿；头略向左歪，眼睛不得离纸太近；双脚平放，与肩同宽。

站姿：两脚分开，与肩同宽，上身微向前探，左手轻轻按住纸，右手前伸，肩肘放松，肘稍抬高，整个胳膊自然弯曲，手腕与前臂基本齐平，可左右上下活动，不可太紧张。

坐姿

站姿

二、毛笔的执笔方法

1. 大拇指、食指捏笔，中指勾住笔管。

2. 用无名指末节的指背抵住笔杆，小拇指抵无名指不贴笔杆，五指捏笔的距离不要太散。用指尖捏笔。

3. 虎口张开，手掌里空，像似容得下一只鸡蛋。

4. 执笔松紧适度，太松则写字飘滑，太紧则运笔不灵活。

执笔

依据所要书写字体的大小，我们可以选择枕腕、悬腕和悬肘三种执笔姿式。

枕腕　写小楷时常用枕腕，用左手背垫在右手腕下。

悬腕　悬腕是肘着桌面，而手腕提空。悬腕比枕腕运笔更为灵活，适宜写中楷。

悬肘　对于初学者来说，悬肘比较困难，但是如果能坚持下去，以后写字运笔便无束缚之感了。悬肘要求是手腕与肘部都离开桌面，运笔灵活，书写大的字楷行草都适用悬肘。

枕　腕

悬　腕

悬　肘

三、毛笔的运笔方法

关于毛笔的运笔方法，我们需要了解以下的书法专业术语。

起笔　指毛笔的笔尖落到纸上的动作，又叫"落笔"、"下笔"。起笔是一笔的开端，是点画定格、承前启后的关键。

收笔　收笔就是指笔画的收尾，笔尖离开纸时的动作。一般来说，起笔和收笔都有两种笔法，即藏锋和露锋。

行笔　行笔是指笔在纸上运行及起落提按的过程，也叫"走笔"。行笔的过程中，主要用的笔法有中锋和侧锋。

露锋　一般是在起笔和收笔时，照笔画进行的方向，顺势而起，顺势而收，使笔锋外露，也有说法叫"顺锋"。

藏锋　起笔或收笔时收敛锋芒，这是楷书中常常用到的技法。技巧是起笔时逆锋而起，收笔时回锋内藏，使笔画含蓄有力。

中锋　中锋是书法中最基本的用笔方法。笔端落纸铺开运行时，其笔尖保持在笔画的正中间。

侧锋　在运笔过程中，笔锋不在笔画中间，而在笔画的一侧运行。

形如针尖

露锋收笔

藏锋

藏锋起笔

中锋行笔

侧锋行笔

提笔　行笔过程中把笔稍微上提而不离开纸面，这种运笔方法能让笔画变细，为按笔蓄势作准备。

顿笔　顿笔是在起笔、收笔、折笔时的短暂停顿动作。将力量倾注于笔端，用力稍重按并略停顿。

转笔、折笔　转笔与折笔是指笔锋在改变运行方向时的运笔方法。转笔是圆，折笔是方。

第三节　永字八法

永字八法其实就是"永"这个字的八个笔画，代表中国书法中笔画的大体，分别是"侧、勒、努、趯、策、掠、啄、磔"八画。所以练习"永"字，也就将这些基本笔画一并练习了。

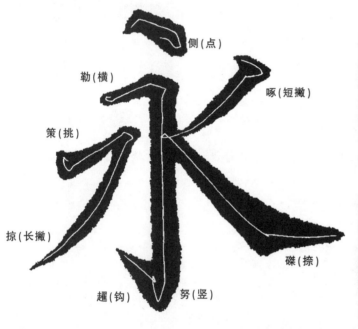

侧(点)　勒(横)　啄(短撇)　策(挑)　掠(长撇)　磔(捺)　趯(钩)　努(竖)

把横笔称为"勒法"，传统的解释是：写横笔要勒住，不可失去控制，犹如骑马时的勒马。

勒　法

竖笔要写得坚挺刚直，峻峭精彩，如张弓搭箭，欲射欲发，有种气势逼人、险劲刻厉的感觉。

努　法

点笔不可太大，也不可太小，要棱角分明而饱满，要求是"三角一肚"。

侧　法

将长撇称为"掠"，应该理解为：要婉而畅，峻而坚，如飞燕掠檐而下，轻盈畅快。

掠　法

磔笔，力虽内聚形却外张。磔本义是肢解，肢解必以刀劈，磔画即取刀劈之意。

磔　法

直钩称为"趯法"，意在跷足向上踢起之意。虽然钩身不长，但书写时要有"跳跃"、"弹起"的姿态。

趯　法

写挑笔用"策"法，应该是"轻扫"之意，即下笔后，行笔很短，然后尽快抬起。

策　法

短撇的笔法，如同禽鸟啄食一样，要求快速而且峻利。短撇比较容易掌握。

啄　法

第四节　欧阳询楷书笔法特点

欧阳询　　与褚遂良、虞世南、薛稷并称"初唐四大家"。书法初学二王，后遍学秦汉篆隶、魏碑，各体俱精，楷法独尊。楷书劲险刻厉、法度森严，于平正中见险绝，世称"欧体"、"率更体"。初唐四大家的书法有一个共同的特点，就是楷书的风格都是"清秀瘦劲"，其中欧阳询楷书更为突出，贡献也最大。流传下来的书法作品，楷书有《九成宫醴泉铭》、《化度寺邕禅师塔铭》、《虞恭公温彦博碑》、《皇甫诞碑》、《姚辩墓志铭》等，隶书有《房彦谦碑》、《唐宗圣观记》等，行书有《张翰思鲈帖》、《梦奠帖》、《卜商帖》、《千字文》等，草书有《千字文》残本。书法理论有《用笔论》、《三十六法》、《八诀》等。

　　欧阳询的楷书，在继承二王（王羲之、王献之）及北魏书法精髓的基础上，融会贯通，形成了自己独特的风格特点：笔力遒劲、点画瘦硬、结体严谨。欧体善于在笔势中造险，然后用点画的顾盼去救应，出奇制胜，而后又归于平稳。所以欧体看似平稳庄重，细察则变化多端。下面以欧阳询的楷书代表作《九成宫醴泉铭》为例，为大家介绍欧体楷书的笔法特点。

欧阳询

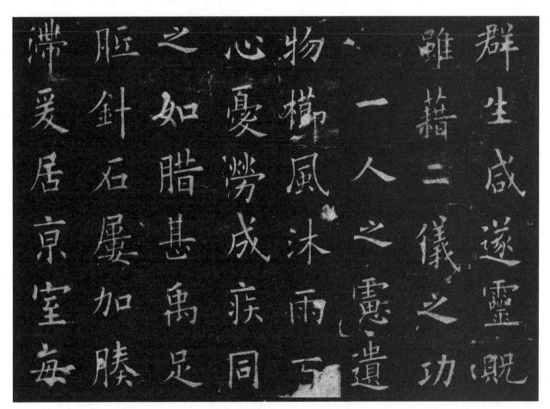

《九成宫醴泉铭》（局部）

一、点的写法

欧体楷书中，唯独点的形态很多，有的形如杏仁、鼠矢，有的形如短横、短竖。双点在字头呈羊角形，上开下合；在字底呈八字形，上合下开。三点以三点水最具特点。四点组合以四点底最具特点。

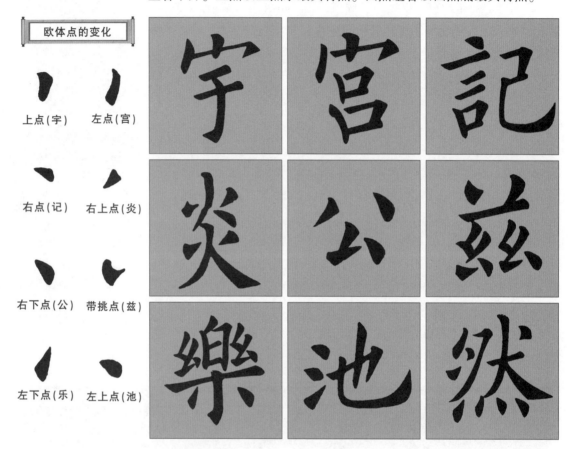

欧体点的变化

上点（字）　左点（宫）

右点（记）　右上点（炎）

右下点（公）　带挑点（兹）

左下点（乐）　左上点（池）

二、横的写法

欧体的横画多取平势，方圆兼用，以方为主。落笔多藏锋，收笔多回锋，稍向右上取势。短横粗细均匀，长横中间略细。

欧体横的变化

平横（上）　凸横（玄）

凹横（工）　带钩横（云）

睡细横（甘）　腰粗横（王）

左尖横（非）　右点横（扬）

三、竖的写法

竖作悬针时，中锋出笔，劲健秀美。竖作垂露时，回锋收笔，厚重挺直，稳静生动。

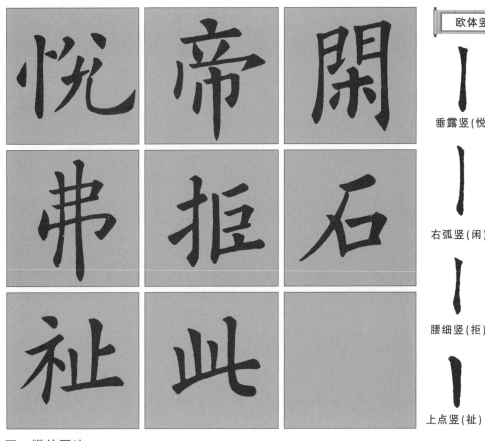

欧体竖的变化

垂露竖（悦）　悬针竖（帝）

右弧竖（闲）　左弧竖（弗）

腰细竖（拒）　腰粗竖（石）

上点竖（祉）　弯脚竖（此）

四、撇的写法

欧体的撇画笔势灵活，变化很多。长撇下部略粗，笔势饱满，逆锋入笔，转笔成圆角，出锋稳健。短撇侧锋斜出，笔画厚重有力。回锋撇挺直刚健，多呈竖钩状，这是顺势挑出的效果。

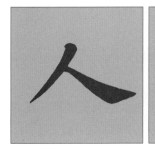  

欧体撇的变化

直撇（人）　弧撇（太）

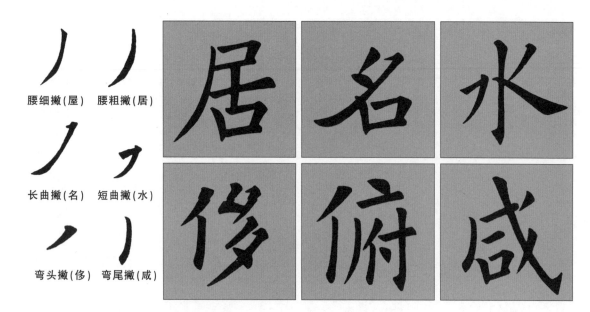

腰细撇(屋)　腰粗撇(居)

长曲撇(名)　短曲撇(水)

弯头撇(佟)　弯尾撇(咸)

五、捺的写法

欧体的捺，弯势很小，有的还比较直，形如直线，捺脚顿笔，出锋圆润。平捺竖下笔，右行时略有波势。

欧体捺的变化

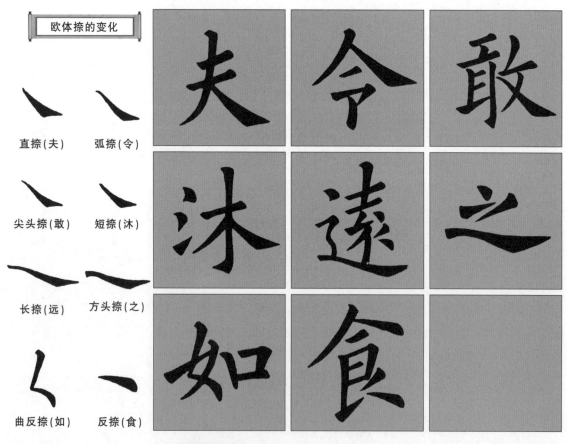

直捺(夫)　弧捺(令)

尖头捺(敢)　短捺(沐)

长捺(远)　方头捺(之)

曲反捺(如)　反捺(食)

六、钩的写法

欧体的钩画韵味含蓄，不取笔锋，多用转法，从隶书中来。竖钩饱满，似露珠垂挂，钩尖不突出；竖弯钩状如"浮鹅"，浮鹅钩因此得名。欧体的钩画稳重洒脱，含有隶书雁尾的笔意。

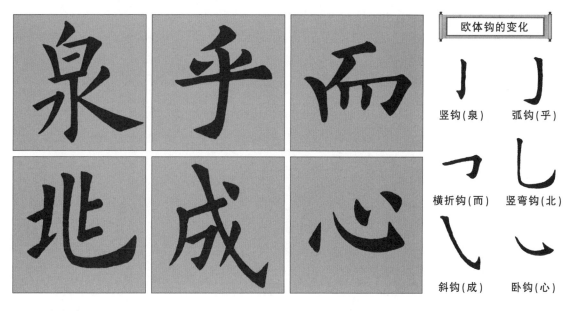

竖钩（泉）　弧钩（乎）

横折钩（而）　竖弯钩（北）

斜钩（成）　卧钩（心）

七、折的写法

欧体的折画多顺势提笔换锋，方中微带圆势。

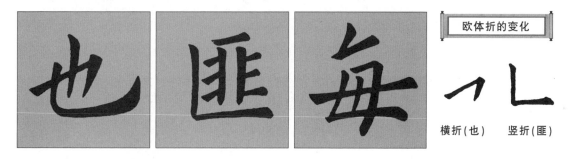

欧体折的变化

横折（也）　竖折（匪）

八、挑的写法

折锋向右上顿笔后挑出，力送至笔尖。欧体的挑画一般较短。

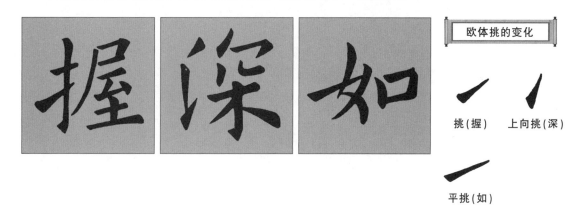

欧体挑的变化

挑（握）　上向挑（深）

平挑（如）

第五节　颜真卿楷书笔法特点

颜真卿

颜真卿　是继王羲之后成就最高、影响最大的书法家。其书初学张旭、初唐四家，后广收博取，一变古法，自成一种方严正大、朴拙雄浑、大气磅礴的"颜体"，与柳公权并称"颜柳"，有"颜筋柳骨"之誉，对后世影响巨大。他的书迹作品，据说有138种。楷书代表作有《颜勤礼碑》、《多宝塔碑》、《麻姑仙坛记》等。行草书有《祭侄稿》、《争座位帖》、《裴将军帖》、《自书告身》等，其中《祭侄稿》是在极其悲愤的心情下进入的最高艺术境界，被称为"天下第二行书"。米芾《书史》："《争座位帖》有篆籀气，为颜书第一，字相连属，诡异飞动，得于意外。"

颜真卿的书法技艺是在不断突破和创新的过程中成熟和发展的。颜体笔法开创新意，改变了以往方笔侧入的笔法，用藏锋入笔，呈圆润之势，点画笔到力到，自然洒脱。下面以颜真卿的楷书代表作《多宝塔碑》（全名《大唐西京千佛寺多宝塔感应碑》）为例，为大家介绍颜体楷书的笔法特点。

《多宝塔碑》（局部）

一、点的写法

颜体的点，笔法力感很强，不管是侧点还是垂点，都能做到藏锋入笔，中锋行笔，回锋收笔。各点饱满有力，有"高峰坠石"之态。

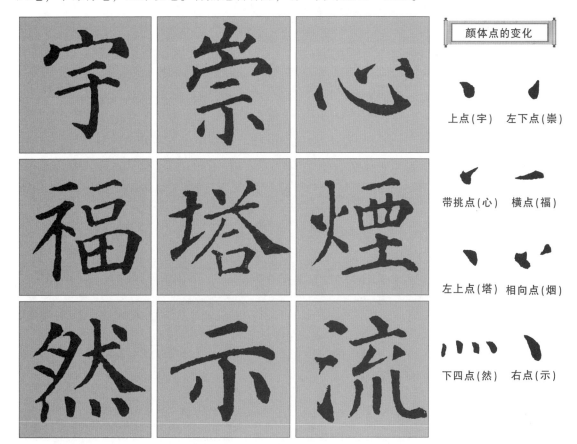

颜体点的变化

上点(字)　　左下点(崇)

带挑点(心)　　横点(福)

左上点(塔)　　相向点(烟)

下四点(然)　　右点(示)

二、横的写法

逆锋起笔，着力缓行，和竖画相比横画较细。当字中出现多个横画时，有长短粗细之分。长横两头重顿，中间略细，向右上稍斜，形歪而神正。

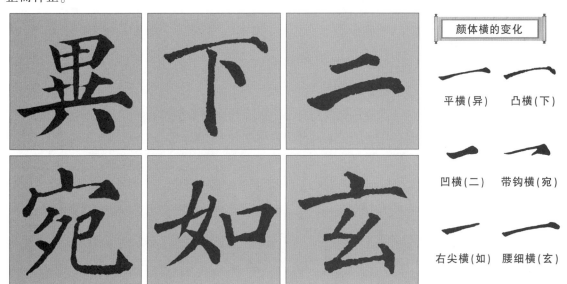

颜体横的变化

平横(异)　　凸横(下)

凹横(二)　　带钩横(宛)

右尖横(如)　　腰细横(玄)

粗腰横（二）　左尖横（云）

三、竖的写法

　　颜体中，竖的写法有两种：在字中心的竖起主笔的作用，粗壮挺拔，势如铁柱，多取悬针之法；两侧竖画多取相向之姿，弓背向外，并且左竖稍细，右竖稍粗。

颜体竖的变化

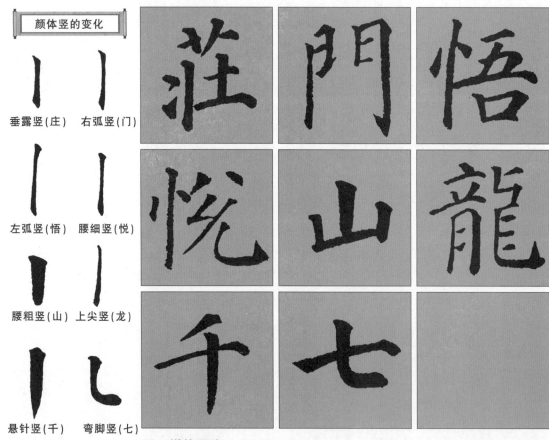

垂露竖（庄）　右弧竖（门）

左弧竖（悟）　腰细竖（悦）

腰粗竖（山）　上尖竖（龙）

悬针竖（千）　弯脚竖（七）

四、撇的写法

　　颜体的撇画坚韧有力，变化丰富。中锋行笔，力送笔端，饱满扎实。一字之中如有两个或两个以上的撇画，则各撇画都有巧妙变化。

颜体撇的变化

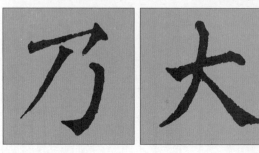

直撇（乃）　弧撇（大）

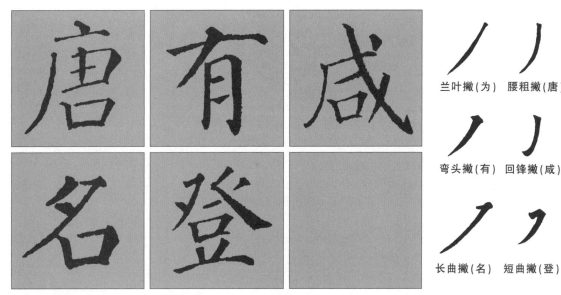

兰叶撇(为) 腰粗撇(唐)

弯头撇(有) 回锋撇(咸)

长曲撇(名) 短曲撇(登)

五、撇的写法

颜体的撇画有比较突出的特点：一是有明显的"一波三折"；二是有鲜明的"蚕头燕尾"；三是撇画的尾部粗壮厚重，与撇画相比形成了长短粗细的强烈对比，节奏起伏鲜明，斜势较大。

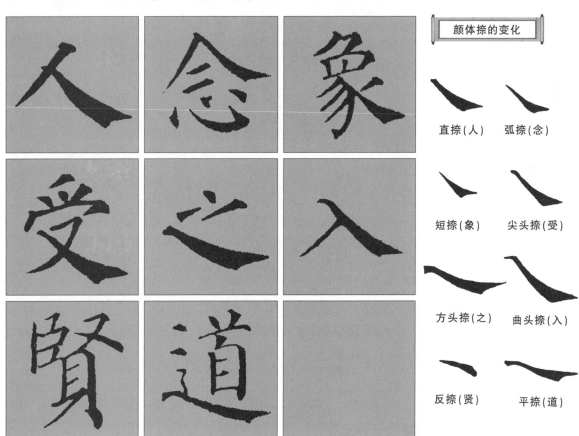

颜体捺的变化

直捺(人) 弧捺(念)

短捺(象) 尖头捺(受)

方头捺(之) 曲头捺(入)

反捺(贤) 平捺(道)

六、钩的写法

颜体的钩，有的厚重，有的含蓄，给人以力量感。一般来说，连接竖向笔画的钩大多显得厚重坚强。

颜体钩的变化

竖钩（水）　　弯钩（家）

竖弯钩（化）　　卧钩（心）

斜钩（我）　　横折钩（而）

横撇弯钩（部）　横折弯钩（九）

七、折的写法

颜体的折画多分横折、竖折、撇折等。折笔转折处多提笔另起，有折必有顿，棱角呈斜面。

颜体折的变化

竖折（海）　　撇折（玄）

横折（也）

八、挑的写法

颜体的挑画比较厚重，与欧体不同的是，不采用方笔而多采用圆笔，端庄浑厚。

颜体挑的变化

平挑（妙）　　右向挑（求）

点挑（资）

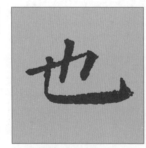

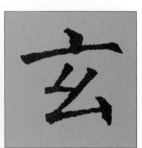

第六节　柳公权楷书笔法特点

柳公权　唐朝最后一位大书家。因官至太子少师，故世称"柳少师"。他的字在唐穆宗、敬宗、文宗三朝一直受重视。其书初学王羲之，以后遍阅近代书法，学习颜真卿，融汇自己新意，然后自创独树一帜的"柳体"，为后世百代楷模。柳公权的传世作品很多，其中《金刚经刻石》、《玄秘塔碑》、《神策军碑》最能代表其楷书风格。柳公权的行草书有《伏审》、《十六日》、《辱问帖》等，其书风格结体严谨，潇洒自然。另有墨迹《蒙诏帖》、《王献之送梨帖跋》。

柳体用笔主要是方笔，兼用圆笔。方笔多取隶意，圆笔多取篆意。使用方笔所造成的突出棱角以及坚挺笔画，是谓之"柳骨"的主要原因。下面以柳公权的楷书代表作《玄秘塔碑》为例，为大家介绍柳体楷书的笔法特点。

柳公权

《玄秘塔碑》（局部）

一、点的写法

側点多为圆势，有长有短，裹锋侧行，不做重顿。方点有时直下，形如短竖；有时平正，形如短横。双点横排有上开下合、下开上合之异。左点一般逆锋入笔，露锋出笔。右点顺锋入笔，向左回收。

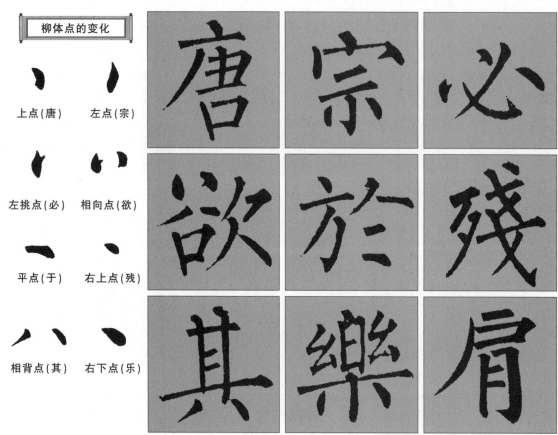

柳体点的变化

上点(唐)　　左点(宗)

左挑点(必)　相向点(欲)

平点(于)　　右上点(残)

相背点(其)　右下点(乐)

二、横的写法

起笔方整，多用折锋，顿笔回收，藏锋于画内。横有长短之分，长横的中部较细，向右上微斜，多充当主笔；短横粗壮，多为仰横。

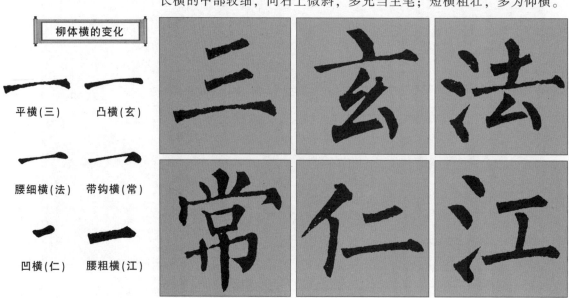

柳体横的变化

平横(三)　　凸横(玄)

腰细横(法)　带钩横(常)

凹横(仁)　　腰粗横(江)

左尖横(集)　　右尖横(悲)

三、竖的写法

横截下笔，中锋力行，中竖挺劲，多用悬针；左竖顿挫有力，多用垂露。

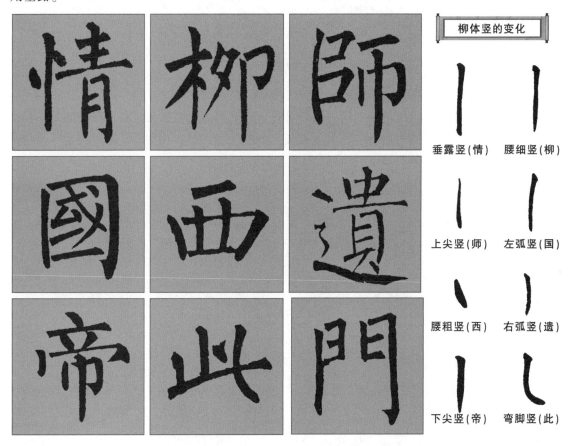

柳体竖的变化

垂露竖(情)　　腰细竖(柳)

上尖竖(师)　　左弧竖(国)

腰粗竖(西)　　右弧竖(遗)

下尖竖(帝)　　弯脚竖(此)

四、撇的写法

柳体的撇画多逆锋入笔，笔画细劲，撇尾瘦而圆，弧度较小，以方笔取势。

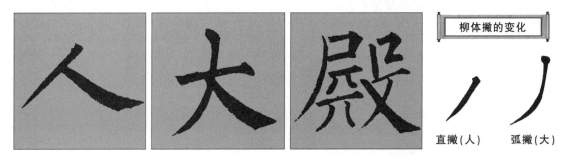

柳体撇的变化

直撇(人)　　弧撇(大)

细腰撇（殷）　粗腰撇（吞）

弯头撇（于）　回锋撇（凡）

短曲撇（露）　横撇（水）

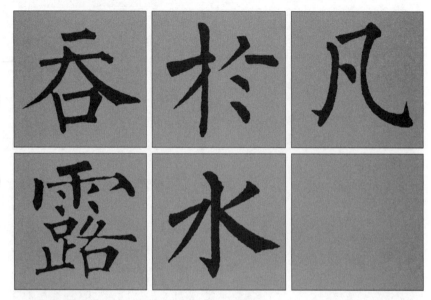

五、捺的写法

逆锋起笔，笔画粗重，行笔用力逐渐加大，整体沉稳遒劲。长捺略有曲势，捺脚方而长，捺尾较细。撇捺相交时，撇轻捺重，对比鲜明。

柳体捺的变化

弧捺（文）　直捺（夫）

短捺（林）　反捺（欢）

长捺（赵）　方头捺（之）

尖头捺（度）　曲头捺（入）

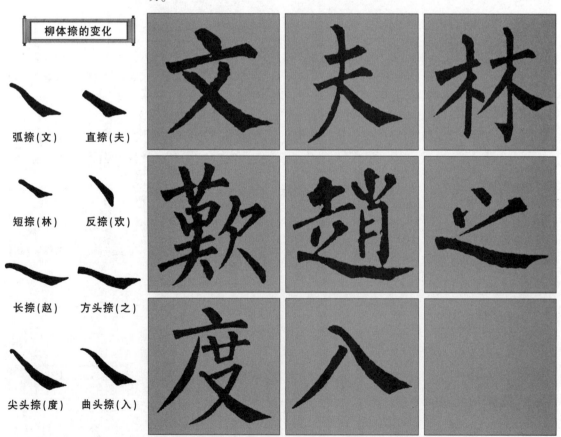

六、钩的写法

柳体的钩画，力在钩末，势在锋尖。俯钩先顿笔成点再回锋出钩；戈钩和弯钩成长三角形。柳体出钩前多有回锋的动作。

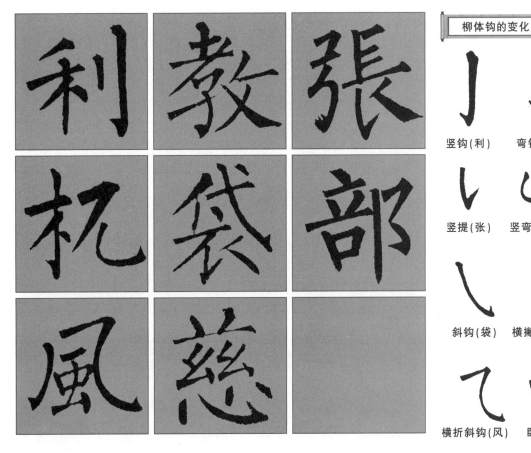

柳体钩的变化

竖钩(利)　　弯钩(教)

竖提(张)　　竖弯钩(杋)

斜钩(袋)　　横撇弯钩(部)

横折斜钩(风)　　卧钩(慈)

七、折的写法

　　柳体的折画多提笔另起，顿笔而下，棱角突出。当然，也有一些是提笔圆转而过。

柳体折的变化

横折(言)　　竖折(世)

横折钩(尚)

八、挑的写法

　　逆锋起笔，顿笔向右上疾出，力至笔尖。三点水中的挑笔比较特别，逆锋顿笔，调锋回笔，从上沿挑出，形如"榔头"。

柳体挑的变化

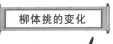

右向挑(以)　　上向挑(济)

点挑(滔)

第七节 赵孟頫楷书笔法特点

赵孟頫

赵孟頫，元代著名书画家。他善篆、隶、真、行、草书，尤以楷、行著称于世。他开创了元代新画风，被称为"元人冠冕"。赵孟頫在书法上的贡献，不仅在于他的书法作品，还在于他的书论，他有不少关于书法的精到见解。赵孟頫的楷书吸取李邕书碑的方法，既得流美风韵，又存遒健骨气，在晋人的韵味之外，又具有唐人的法度，代表作有《湖州妙严寺记》、《三清殿碑记》、《玄妙观重修三门记》、《胆巴碑稿》、《仇锷墓志铭稿》。其行草被称做成就最大者，传世作品有《兰亭十三跋》、《归去来辞卷》、《赤壁赋》、《雪晴云散帖》，既严守古法，又纵横飘逸。

赵体用笔圆满精熟，典雅流畅，以圆笔为主，兼施方笔。用行书笔意书写楷体，独具风格。下面以赵孟頫的楷书代表作《玄妙观重修三门记》为例，为大家介绍赵体楷书的笔法特点。

《玄妙观重修三门记》（局部）

一、点的写法

赵体的点，姿态众多，有正有斜、有长有短、有藏有露，变化多端。多取侧势，独点多呈圆态，或出锋或不出锋，与下一笔相呼应。两点相向相背，左右顾盼。三点和四点的组合则灵动多姿，无呆板之感。

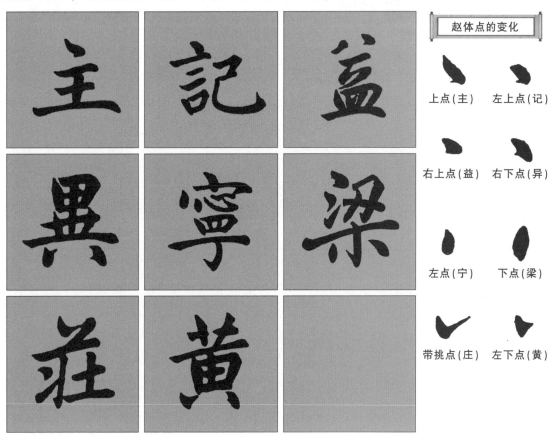

赵体点的变化

上点(主)　左上点(记)

右上点(益)　右下点(异)

左点(宁)　下点(梁)

带挑点(庄)　左下点(黄)

二、横的写法

横画在平直中呈现出起伏变化的气势，起笔多取侧势，收笔回锋，粗细较为均匀。长横往往充当主笔，在书写时要注意中部提行。

赵体横的变化

平横(十)　腰粗横(止)

细腰横(善)　凸横(下)

凹横(西)　左尖横(泥)

右尖横(接)　带钩横(字)

三、竖的写法

赵体的竖画藏曲于直中，兼用悬针、垂露之法。有的竖因取势而向中心环抱，略带弧形；也有的取相背之法。

赵体竖的变化

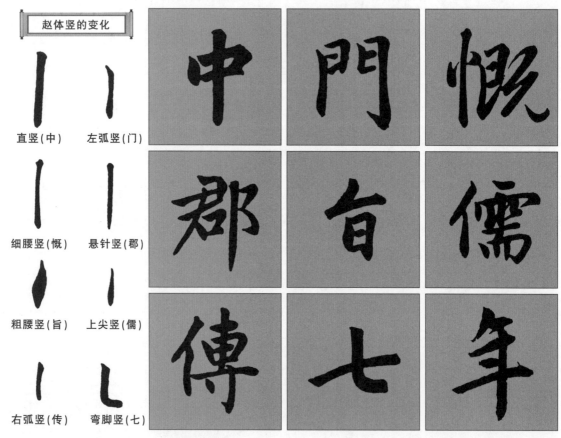

直竖(中)　左弧竖(门)

细腰竖(慨)　悬针竖(郡)

粗腰竖(旨)　上尖竖(儒)

右弧竖(传)　弯脚竖(七)

四、撇的写法

有的逆笔出锋，有的回锋带出附钩。在形态上有兰叶、弯头、折钉等，长短有异。

赵体撇的变化

腰细撇(舍)　直撇(合)

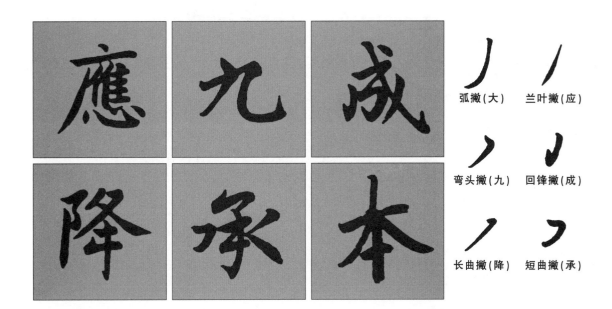

弧撇（大）　兰叶撇（应）

弯头撇（九）　回锋撇（成）

长曲撇（降）　短曲撇（承）

五、捺的写法

　　赵体的捺画有明显的一波三折之态，裹锋起笔，以波势运笔，先轻后重，重按出锋。

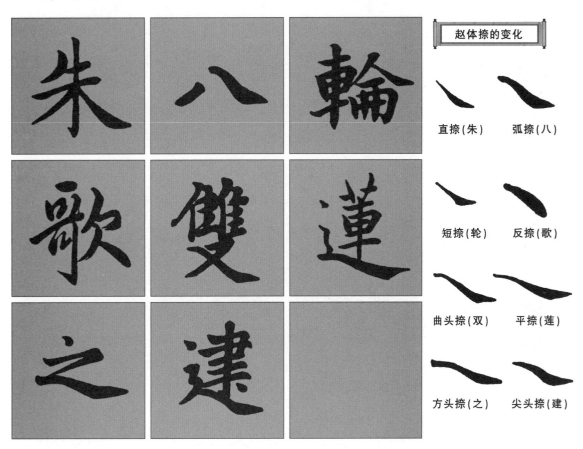

赵体捺的变化

直捺（朱）　弧捺（八）

短捺（轮）　反捺（歌）

曲头捺（双）　平捺（莲）

方头捺（之）　尖头捺（建）

六、钩的写法

　　顺势出钩，有长有短，变化多端。竖钩坚挺，戈钩劲锐，俯钩圆转，竖弯钩饱满。

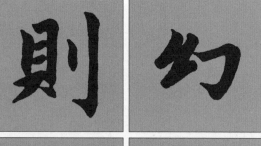

赵体钩的变化

竖钩(则)　横折钩(幻)

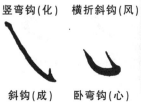

竖弯钩(化)　横折斜钩(风)

斜钩(成)　卧弯钩(心)

七、折的写法

赵体的折画多内方外圆，折笔时要先提后按，行笔要干净利落，不拖泥带水。

赵体折的变化

横折(也)　竖折(山)

撇折(公)

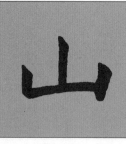
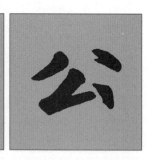

八、挑的写法

挑画多裹锋落笔，由重至轻，提向右上，形态圆润、灵动。

赵体挑的变化

竖提(辰)　平挑(如)

第八节　四体楷书的结构布势

结构布势是指每一个字的组织形势及其美化的构成方法，用以说明依照历代书法家开辟出来的结体布势原则写成工整美观的楷书所必需的法则。楷书四大家欧、颜、柳、赵风格各异，有方圆、肥瘦、刚劲、遒媚、浑厚、瘦硬、险峻、飘逸等区别，但他们的结构布势原则是基本相同的。

一、**整齐平正**　唐代孙过庭说："初学分布，但求平正。"历代书法家所写篆、隶、正书的结构都是整齐平正的。所谓平正，并不是强求每字的横画必平，竖画必直，而是要求每个字稳立在支点上勿失重心。项穆说："书有三戒：初学分布，戒不均与敧；继知规矩，戒不活与滞；终能纯熟，戒狂怪与俗。"因此学习楷书既需研究平正，又需研究变化。

平正　间架布置要平正,笔画长短要参差,要求平正为主。

中正　中竖要写在正中,上点和下竖应垂直,力求保持平正。

横断　左右二横虽中断,但应力求平正安定,不失重心。

竖断　上下二竖虽中分,但应垂直,以求平正,避免偏侧。

让横　横画多者,务求长短各异,宜使中横较长,求其平正。

让竖　竖画多者,中间直竖要长,并应垂直勿斜,才能平正。

偏正　结构正者,横画不宜过平,应稍倾勿侧,所谓正者偏之。

偏侧　结构斜者,务求斜中取正,勿失重心,所谓偏者正之。

　　二、上下平稳　王羲之说:"一字之形势不宜上阔下狭,如此则重轻不相称也。……分间布白,远近宜均,上下得所,自然平稳。"假使一个字写成上面过重、下面过轻,或上面过小、下面过大,那一定不美。比如"宀"字为帽,上部宜较下部略大,务使上面覆盖下部之上才能好看。又如"走""辶"字为旁,则应使下部较上部略大,方能承受上部。欧阳询说:"字之承上者多,惟上重下轻者顶戴欲其得势。如叠、声之类。八诀所谓如人上称下戴,又谓不可头轻尾重是也。"

　　天覆　天覆者,要上面盖尽下面,宜上广下狭,求其平稳。

地载 地载者，要下画载起上面，宜下重而上轻。

上宽 上宽者，要上宽而画清，下窄而画浊。

下宽 下宽者，要下宽而画轻，上窄而画重。

二段 二段者，分为两半，较其长短，微加调整，力求上下平稳。

三停 上中下三部等分者，上下宜略宽，中部宜略窄，以求平稳。

中宽 中宽上下窄者，中间略宽，上下宜略窄，使其均匀平稳。

中窄　上下宽中间窄者,上下宜略大,中间宜略小,以求平稳。

　　三、左右匀称　欧阳询说:"初学之士,先立大体,横直安置,对待布白,务求其均齐。"均齐,匀称的原则分别有四种:(一)绝对匀称,(二)相对匀称,(三)部分匀称,(四)不规则匀称。汉字形状很多,凡是有左右两个或三个以上间架配合而成的字,必须左右匀称,才能美观。如左右两边的笔画多少不等,书写时,应当采用化密为疏和化疏为密的方法,使左右疏密均衡,轻重相当。

　　平分　左右平分者,如两人并立,左右宜均,尽力避免宽阔。

　　三均　左中右三部合成者,中间部分要平正,左右务求匀称。

　　左右占　中窄左右宽者,左右两部宜略宽而长,中部宜略窄而短。

　　中间占　中宽左右窄者,中间宜较宽大,左右宜较疏而略小。

长方 字形长方者,四角要齐平而稍长,并使左右匀称。

短方 字形偏方者,两肩要上开而下合,力求左右匀称。

四方 字形四方者,上两肩要平,下两角宜齐,力求左右匀称。

浑圆 字形浑圆者,上下左右,四面八方都应力求匀称。

　　四、轻重平衡 汉字的结构有很多,因其结构左右宽窄不同、轻重不等,书写时则应采用大小平衡、轻重平衡的原则,掌握字的重心,把较大部分的位置移近中心,而将较小部分稍离中心;使笔画较多部分的放宽,较少部分的变窄;或使较密部分移近中心,而使较疏部分移左而齐上,或者移右而齐下,使左右达到轻重平衡状态。

　　左占 左宽右窄者,要左大而画较瘦,右小而画较肥,使能轻重平衡。

右占　右宽左窄者,要右大而画较瘦,左小而画略肥,如此即可保持平衡。

让左　左重右轻者,要左高而右低,右边应让左,使其平衡。

让右　左轻右重者,要右高而左矮,左边应让右边,使能平衡。

左上平　左小右大者,应使小者齐上,大者重心移左,使能保持平衡。

右下平　左高右低者,应使小者较矮而与左部之脚齐平,如此即能保持平衡。

偏右　上部偏左者,应使下部偏右,如此才能保持平衡。

偏左　上部偏右者,应使下部偏左,以便保持平衡。

　　五、分布均匀　所谓分布均匀,是指每字之中所有笔画的分间布白,字与字间的空白距离,行与行间的远近距离是否均匀。至于如何书写才能达到分布均匀的目的,陈绎曾说:"疏处捺满,密处提飞;平处捺满,险处提飞;捺满则肥,提飞则瘦。"其意是使每一字的所有笔画之间的空白间距力求疏密均匀。因此书写时笔画粗细务求肥瘦适宜,并使间距空白疏密均匀。

宽　分间宽者,笔画宜肥,形态宜短勿长,力求布白均匀。

窄　分间窄者,笔画宜瘦,形态宜长勿瘠,以使布白均匀。

疏　间架疏者,笔画不宜瘦而宜丰,分间布白,宽窄宜匀。

密　间架密者,笔画不宜肥而宜瘦,分间布白远近宜匀。

单 结构孤单者,笔画宜肥勿小,横画要长而遒劲。

复 部首重叠者,宜瘦勿过大,分间布白,远近宜匀。

简 笔画少者,宜肥勿瘦,间架要正,直画宜短,点需近上。

繁 笔画多者,宜瘦勿肥,粗细轻重,分间布白疏密宜均。

六、对比调和 所谓对比调和,是指每个字内部各种笔画之间的长短、肥瘦及疏密对比是否调和美观。点画分布必须力求肥瘦适宜;空白间距必须力求疏密相当。间距疏则笔画宜肥;反之,笔画宜瘦。项穆说:"人之于书,得心应手,千形万状,不过曰中和、曰肥、曰瘦而已。若书宜长短合度,轻重协衡,阴阳得宜,刚柔互济,犹世之论相者不肥不瘦、不长不短为端美也。"因此,学习楷书,务求各种笔画之间的长短、肥瘦及疏密对比符合调和的原则,才能给人们以美感。

长短合度 笔画排叠要疏密停匀,参差不齐,力求长短合度。

肥瘦调和　笔画排列应有阴阳之分,粗细之别,务求肥瘦调和。

大小合宜　两字相合,小则化疏为密,大则化密为疏,力求大小合宜。

疏密停匀　两字相合,疏者宜小,密者宜大,力求疏密调和。

避密就疏　笔画排列要随字形变换,力求避密就疏,避远就近。

穿宽插虚　字画交错者,欲其疏密长短大小停匀,务求穿宽插虚。

左右相应　左右间复不同者,要相生相让,避险就易,力求左右相应。

补其空处 字欲四满方正,空处宜补,使与整体相称。

七、连续各异 汉字楷书有许多结构是由同一基本笔画构成的,这些同一笔画在同一字中书写时不可笔笔相同,而应力求各异。包世臣说:"原释庐字一例,乃变换之法,如'庐'字之撇,初婉转而次斜硬;'爱'字之撇,初斜硬而次婉转;'逢'字上点下捺,'奏'字上捺下点。又如三四横、三四竖、三四撇、三四点及诸口、田、义、人之叠用者,俱宜变换,不宜相同。"所以,学习楷书对于一字中的同样笔画务求变换。

连点 各点相连,力求上下相应意连,切勿似棋子。

连挑 各挑先后连续,力求互变各异,切勿相同。

连横 各横上下连续,长短要参差,间距要均匀,形态要各异。

连竖 各竖左右连续,高低要参差,形态力求各异。

连撇　上下两撇连续,形态应有不同,下撇之首,宜置于上撇之胸。

连捺　上下两捺先后书写,务变其一,以反捺代正捺。

连钩　各钩先后书写,形态务求各异,如果相同,则必形俗。

连厥　各厥(横折)前后书写,形态务求各异,如或相同,则必形丑。

　　八、反复变化　凡用同一间架重叠或并排书写时,其形状不可完全相同而应变其一。隋僧智果说:"重并仍促:谓吕、昌、爻等字应上小下大;林、棘、丝、羽等字应左促右宽;森、磊、淼等字则应兼用之。"张怀瓘说:"偃仰向背:谓两字并为一字,须求点画上下偃仰有离合之势。""鳞羽参差:谓点画编次勿使齐平,如鳞羽参差之状。"王羲之说:"二字合为一体,重不宜长,单不宜小,复不宜大,密胜乎疏,短胜乎长。"

　　重并　左右重复并列者,彼此应有区别,宜左促而右舒。

重叠 上下重叠者,应上小而下大;三叠者上大而下小,各有不同。

重横 横画重复者,上下不可相同,一般上短下长,各不相同。

重竖 竖画并列者,左右不可相同,而应左瘦右肥,各有不同。

四横 四横重复者,上下二横要异向,中二横宜相顺。

四竖 四竖并列者,左右二竖要上开而下合,中二竖宜相向。

排点 四点并列者,要各有变化,不可排列呆板如棋子。

聚点 点挑相聚者，要互相照应，力求生动，不可像砌石。

九、内外相称 楷书有许多结构是内外两部分笔画间架配合而成的，书写每一字，在脑中应先有简要概念，而后下笔。书写外围边框时，先考虑内包结构的简复而定宽窄高低；书写内包结构时，先考虑外围形势而定高低宽窄，务使内外相称。并应注意外围形势，不可横平竖直，避免方正呆板。若外围是扁方形，则要上肩开而下脚合，切忌直脚下肩。如外围是二面抱左形，应视内包结构的简复而定，务使内外相称。

四面合抱 应据内包简复，决定外围高低宽窄，力求内外相称。

三面抱上 先考虑外围形势，而后写内包，务使内外相称。

三面抱下 如内包简，要上开而下合；内包复，则旁宜直。

三面抱右 左旁用向竖或背竖或垂直，应视内包形势而定。

两面抱左 如内包简单用斜包,内包繁复用竖包。

两面抱右 应依据内包简复大小,决定外围宽窄高低。

左下抱右 下部托举笔画不宜短,如太短不能容物,务求内外相应。

右上抱左 纵向长笔画不可太宽,以免散漫,务使内外相称。

　　十、形象自然 汉字多以自然的形象为基础,故称为象形字,所以书写时可以摹仿自然物体的形象而成字。卫夫人论书法说:"'点'画如高峰坠石,磕磕然实如崩也;'横'画如千里阵云,隐隐然其实有形;'竖'画如万岁枯藤;'撇'画如陆断犀象;'捺'画如崩浪雷奔;'钩'画如百钧弩发;'折'画如劲弩筋节……每为一字,各象其形,斯造妙矣,书道毕矣。"这是说学习楷书必须力求形象自然,如果完全横平竖直、形方体圆如几何图案,则必呆板而无美感了。

　　肥 间架疏而笔画肥者,勿露肉而应力求遒劲丰艳。

瘦　间架疏而笔画瘦者,需勿露骨,而应力求流丽清秀。

长　字形长者勿瘦,务求丰艳秀雅,力避长似春蚓秋蛇。

短　字形矮者勿肥,务求精悍秀劲,力避短矮如踏死蛤蟆。

大　字形大者,不可过大,宜促令小,力求自然,疏密得宜。

小　字形小者,需略放大,力求自然宽绰,丰满得宜。

正　字形正者,四面不可呆板,形态务求自然。

斜　字形偏者,形势力求平稳,不失重心,使其自然。

十一、气象生动　正楷书法有形象和精神两方面,研究间架结构是为表现每字的基本形态,研究用笔书法是为表现每字的精神气象。楷书的精神气象不能离开结构,所以要写成气象生动、风神飘逸的楷书,一方面应注重研究间架结构的形象,同时又当练习用笔书法。姜夔在《续书谱》中说:"风神者,一须人品高,二须师古法,三须纸笔佳,四须险劲(书以骨干为先),五须高明(英爽之气,有骨而后有气),六须润泽,七须向背得宜,八须时出新意。"

相向　左右相迎者,应各回避,各不妨碍,力求生动。

相背　左右相背者,应各照顾,气势贯通,力避呆板。

顺背　左右相顺者,应顺势排列,各不相倚,以求生动。

俯仰　上下相隔者,应彼此照顾,各自盖藏,力求生动。

刚劲　刚劲的字,点画要体圆而笔方,力求遒劲。

圆润　圆润的字,点画要圆浑无棱角,力求姿态妍媚。

秀丽　秀丽的字,点画要体方笔圆,形短而书长,使风度英俊。

端庄　端庄的字,点画要方正,结构要精密,气魄要大方。

　　十二、组合相应　主要是讲笔画与笔画之间组合搭配要相映成趣。字的点画之间,如互相分割,各自为阵,互不连贯、呼应,则字必无神矣。丁文隽所著的《书法精论》说:"连贯者即一字间的点画……气势连接而不松懈间断之谓也。"又说:"如人之四肢、百骸,惟赣于筋连骨接,始能运动自如,生气勃勃,否则破碎支离,僵死木偶之不若。"

　　点横组合　点横或连或离,需笔势相呼应,形断意连,并使重心在中轴线上。

点挑组合　点与挑相组合时,笔势呈左开右合之势,其间必使意连于断笔之中,互为照应。

两点相背　两点左右相背时,呈上合下开之势,左右要呼应成趣。

两点相向　两点左右相向时,呈上开下合之势,左右要呼应成趣。

三点呼应　三点要有大有小,有高有低,而且笔势要相互呼应,形断意连。

四点相聚　四点聚在一起时,紧守中宫,四点呈放射状排列要开,每点都有大小形态变化。

撇捺双飞　撇捺连用,如人之站立,必让平衡,方能稳中求应。

第九节　王羲之行书笔法特点

王羲之

　　王羲之　字逸少，号澹斋，汉族，祖籍琅琊临沂（今属山东），后迁会稽（今浙江绍兴），晚年隐居剡县金庭。历任秘书郎、宁远将军、江州刺史，后为会稽内史，晋右将军，人称"王右军"、"王会稽"，是东晋伟大的书法家，被世人誉为"书圣"。又因其子王献之书法亦佳，世人合称他们父子为"二王"。

　　王羲之博采众长，精研体势，一变汉魏以来波挑用笔，独创圆转流利之风格，隶、草、正、行各体皆精。其书法平和自然，笔势委婉含蓄、遒美健秀，后人评曰：飘若游云，矫若惊蛇。王羲之书法作品很丰富，楷书有《黄庭经》、《乐毅论》，草书有《十七帖》、《丧乱帖》，行书有《兰亭序》、《初月帖》、《快雪时晴帖》等。当然，王羲之一生最好的书法，当首推他中年时期的作品——《兰亭序》。另外，唐怀仁和尚集王羲之书而成《圣教序》，堪为集王书之大成者，亦为后世所宗奉。下面以王羲之的行书代表作《兰亭序》为例，为大家介绍王羲之行书的笔法特点。

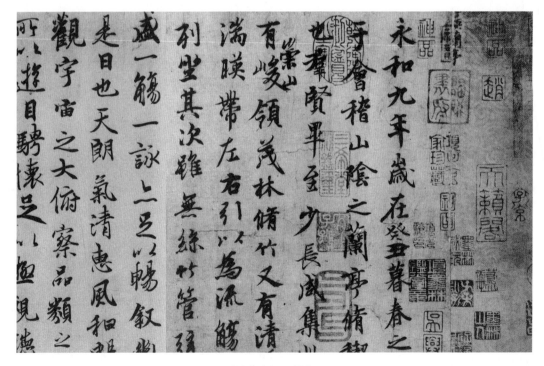

《兰亭序》（局部）

69

毛笔行书笔画运笔方法与楷书大体相似，只是动作更加自然流畅。笔画间的呼应形态是外露的、可视的。起笔、收笔都要求能"八面入锋"、"八面出锋"，即每一个笔画都可以从任何一个方向入纸和出纸，形成起笔收笔时的萦带、呼应关系。而行书的行笔过程相对较快捷，中锋、侧锋在行笔过程中要相互转换，转折处要圆转自然，柔中见刚，这是学习行书笔法的要点。

右　点

露锋起笔，轻落向右下重顿，回锋收笔向左上出锋，也可不出锋。

 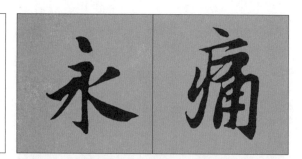

左　点

露锋起笔，向左下稍顿回锋收笔。

仰　点

露锋入笔向左下重按，稍顿后向右上快速出锋。

 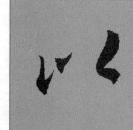 

撇　点

露锋入笔，向右下稍顿后向左快速出锋。

相向点

由挑点和撇点组成。两点呈相向之势，相互呼应。

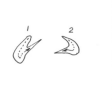 

相背点

由挑点和撇点组成，两点呈相背之势。笔断意连。

上下点

由两撇点组成，两点可连笔完成。

两点水

上点用右点或撇点，下点用仰点或挑点，一上一下，一短一长。

三点水

由撇点、竖点和挑点组成，三点呈左弧形排列，下两点或三点可连笔写。

横三点

由仰点和挑点组成，三点笔势相连，一气呵成。

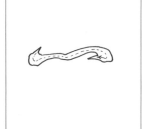 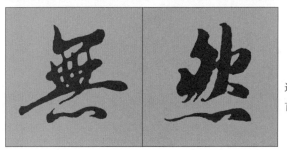

横四点

由挑点和撇点组成，通常四点连写，笔势起伏，首尾呼应。

逆锋长横

逆锋入笔向右，笔力由重—轻—重，顿笔回锋。一般左低右高。

启上长横

起笔承上笔，向右边行笔，末端顿笔向左上出锋启带下笔。

启下长横

露锋入笔向右行，末端顿笔，左下出锋启带下笔。

短　横

逆锋入笔向右行，末端稍顿回锋收笔。

左尖短横

露锋入笔，逐渐用力向右偏上行笔，末端回锋收笔。

右尖短横

露锋入笔稍顿，由重到轻向右偏上行笔，末端提笔出锋。

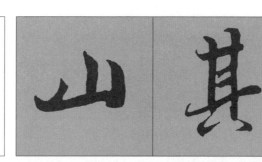

短竖

　　露锋或逆锋入笔稍顿，向下行笔，回锋收笔。

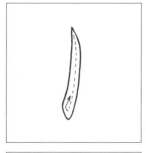

顺锋竖

　　露锋入笔向下行，末端稍顿回锋收笔。

逆锋竖

　　逆锋入笔向下行，末端稍顿回锋收笔。

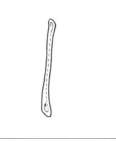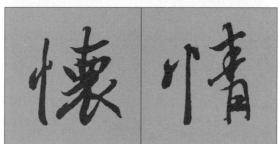

直撇

　　逆锋或露锋起笔向左下行笔，顺锋收笔，一般取势较直。

兰叶撇

　　露锋入笔，向左下行笔，末端提笔出锋，中部稍粗，两头稍尖。

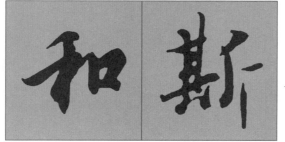

短撇

　　逆锋入笔即顿，向左下撇出，取势较平。

竖撇
　　露锋入笔稍顿，向下略偏左行笔，末端提笔出锋，取势较陡。

回锋撇
　　露锋或逆锋入笔稍顿，向左下行笔，末端回锋启上。

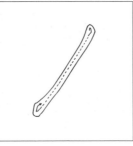

出锋撇
　　露锋入笔，向左下平均用力，末端提笔出锋。

直捺
　　露锋入笔，向右下逐渐用力，末端提笔回锋或出锋收笔。

平捺
　　逆锋入笔稍顿，提笔向右下逐渐用力，末端提笔，平移出锋或收锋。取势较平。

竹叶捺
　　露锋入笔由轻至重，再由重至轻行笔，末端提笔出锋。

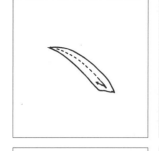 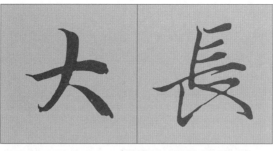

反捺

露锋入笔向右下弧形运笔，末端回锋启左或出锋。

横钩

逆锋入笔向右平行运笔,末端顿笔向左下出锋。

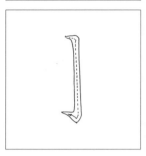  

竖钩

露锋入笔，向下均匀用力，末端顿笔向左上出锋。

斜直钩

露锋入笔，向右下直行,末端顿笔向上出锋。

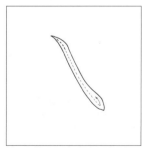  

斜秃钩

写法同斜直钩，只是末端回锋收笔。

卧钩

露锋入笔，向右下弧形运笔，末端顿笔向左上用力出锋。

竖弯钩

露锋入笔，向下直行
或写左弧竖，竖末圆转向
右行，末端顿笔向上出锋。

横 折

露锋或逆锋入笔向右
行，顿笔转折向下，末端回
锋收笔。竖的长短因字而
异。

竖 折

露锋入笔向下，再折
向右行，末端回锋启上或
顿收，竖的长短因字而异。

撇 折

露锋入笔稍顿向左下
斜行，末端折笔向右上出
锋或向左下出锋启带下
笔。折角大小因字而异。

长 提

承上笔或露锋入笔，
稍顿后向右上提出，笔锋
启带下笔。

短 提

露锋或逆锋入笔，由
重渐轻向右上提出，提短
有力。

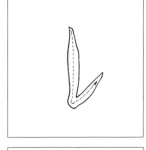

竖 提

露锋入笔，向下直行，末端稍顿后向右上提出。

横 撇

露锋入笔向右偏上斜行，末端顿笔向右下缓慢撇出，撇末出锋或回锋启上，视字而定。

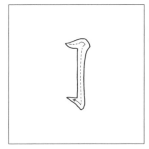

短横折钩

露锋入笔向右，顿笔后转折向下直行，末端再顿，向左上快速出锋。

长横折钩

露锋入笔即顿，向右偏上行笔，末端稍顿后折笔向下略偏左行，末端稍顿，向左上快速出锋。

横折弯钩

承上笔或露锋入笔，向右偏上行写横，横末顿笔向下写左竖弯钩，注意弯钩弧度不宜大。

竖横折钩

露锋入笔向左下，折笔向右，再折笔向下，末端顿笔向左出锋或回锋。

竖 弯

　　逆锋或露锋入笔,向下略偏右行后圆转向右,末端可出锋也可回锋。

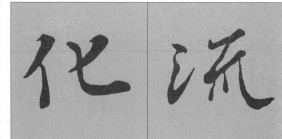

横折折撇

　　露锋入笔,向右偏上行写横,横末折笔向下,再折笔向左下弧行,末端提笔出锋。此画也可以一撇替代。

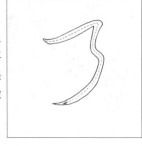

圆曲钩

　　圆曲钩是竖钩变化的一种,书写时无顿挫,其形圆曲,如"亭"、"竹"的最后一笔。

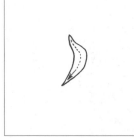

左平钩

　　左平钩是长竖钩变化的一种,关键在末端收笔时左平出钩,带有魏碑意味,竖挺有力。

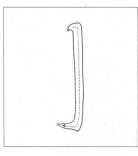

　　毛笔行书的偏旁部首与间架结构特点是与笔法特点密切相关的。毛笔行书因为灵活多变的特点,要求其偏旁部首也应灵活多变,要表现这种灵活和多变性的特征,首先要强化笔画间的萦带和呼应,这就需要适当应用牵丝和勾挑;其次是可以改变一些部首的书写笔顺,以利于快速书写;其三是要掌握偏旁部首的多种写法。可以说每一个书家在写行书时都融入了自己的特点,所以不要求千篇一律,但要遵循约定俗成的规律。

　　毛笔行书的结构除了遵循楷书结构的一般规律,更重要的是应注意两个方面:一是改变文字构件或基本笔画形态,从而达到简易流畅的目的;二是艺术化和个性化追求,通过笔势、气势、体势变化而获得特别的艺术效果。

第三章　钢笔书法

自从 1909 年美国人沃特曼发明了钢笔，钢笔字就成为日常书写的主流。与毛笔（软笔）书法相比，钢笔书法主要有以下特点：便于携带，书写简便；笔画线条纤细，字体小；易于控制，上手简单。对于师范生和教师而言，钢笔字的应用在工作中也是最多的，如撰写教案、批改作业等。本章将以田英章老师的钢笔楷书和行书为范本，为大家介绍钢笔楷书与行书的相关技法。

第一节　书写工具与姿势

我们写字离不开笔、纸和墨水，而优良的书写工具和相互间的恰当配合，对写好字有很大帮助。因此在开始练字之前，了解和掌握各类笔、纸、墨水的特点及性能是十分必要的。

一、钢笔　钢笔是一种主要以金属作为笔尖的书写工具，借助中空的笔管盛装墨水，通过重力和毛细管作用，经由鸭嘴式笔头进行书写。钢笔的选择，在于得心应手，一般以普通的铱金笔为好。在选购时要试写，除了在纸上画些横竖线条以外，也可多写几个"8"字试验。若书写时笔尖不扎纸、不勾纸，说明笔尖圆滑；在转弯处线条粗细变化不突然，说明出水顺畅；再通过提按试写，笔画有粗细变化，说明笔尖弹性较好。达到上述要求的笔才适合硬笔书法的练习。

钢　笔

二、纸　钢笔书法对纸的要求没有很大讲究，一般来讲，以 60 克或 70 克书写纸较为合适，也最为常用。书写用纸要求是厚薄适中，纸质细腻，不会渗透，吸墨性能好，这样书写时有一定的阻力，手感良好，因而写出的字线条流畅、稳健。

三、墨水　墨水的品种很多，按其颜色不同，有黑墨水、蓝墨水、红墨水等。其中，纯蓝墨水是染料墨水，色淡易褪，不适宜钢笔练习；蓝黑墨水相对而言凝固性较好，较适宜于书法练习；黑墨水的凝固性很强，墨迹乌黑闪亮、光泽醒目、反差大、对比强烈，因此最受书法爱好者青睐，但在使用时应注意保存，以免水分蒸发，墨水凝固，发生沉淀结块，甚至损坏钢笔。另外，钢笔在吸墨水时，宜少不宜满。

写得一手工整流利的钢笔字，对于今后的学习、生活都大有帮助。正式学习之前，掌握正确的坐姿和执笔姿势，都是非常重要的。

写字姿势　安足端坐、背直肩平、挺胸微俯、头端纸正，左手按纸，右手执笔。同时要做到三个"一"：眼睛距书写纸面一尺，笔尖距捏笔手指一寸，胸部距书桌边缘一拳。这样才可使全身各部位感到舒展、灵活、轻松。

执笔姿势 用右手的拇指、食指的指肚和中指的侧面分别从三个不同方向捏住笔杆的下端，使之形成合力。无名指和小指自然弯曲，手腕轻贴桌上，以形成安稳的"支撑点"。

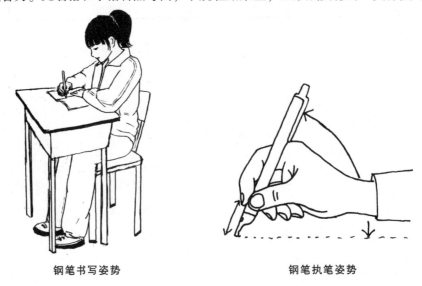

钢笔书写姿势　　　　　　　　　　　　钢笔执笔姿势

第二节　钢笔楷书基本笔画

基本笔画，是汉字组成的基本要素。构成汉字的基本笔画是点、横、竖、撇、捺、提、折、钩八种，除了这八个基本笔画之外还有几十个派生笔画。写好这些笔画对于写好汉字有很大的帮助。要学好硬笔书法就必须了解和掌握不同笔画字的形态和写法。在练习书写时，要特别注意每个字笔画的方向、长短及其细微的变化。

斜点 斜点的应用范围比较广，一般出现在字头、字右、字中，书写时轻入笔稍顿，应注意点的角度和位置，角度决定斜正，位置决定重心的倾斜。

垂点 垂点一般与斜点相对应，在字的左侧，书写时轻入笔稍顿，根据具体情况决定出锋与否，整体不能太大，注意与其他笔画相协调。

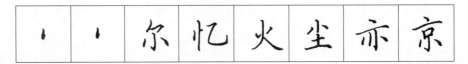

上下点 顾名思义这个笔画形式是由上下两个笔画组合而成，书写时注意两点起笔都要左对齐，上下两点上小下大，同时保持一定的距离。

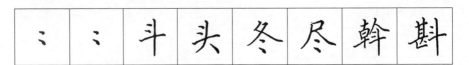

相向点 顾名思义是面对面的点。一般用于字头，为保证下边沿整齐，故右边的点起笔要高于左边的点。

相背点 一般用作字底。为保证上边沿整齐，起笔要平齐，左点高，右点低，其大小要根据上方的字形而定。

聚四点 多用在字或单个笔画的两边。左为两点水，右为撇点和斜点或反捺。

短横 书法上也叫小横，这个笔画书写时需要轻入笔稍微用力顿笔，回锋不是很重，注意回锋之后的笔画。

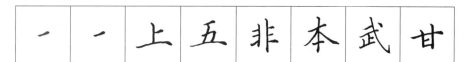

长横 长横的书写难度相对较大，起笔要稍顿笔，然后上行笔，也叫扛肩，然后顿笔。但是长横的行笔在这两处顿笔不能太夸张。

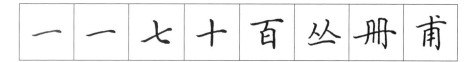

悬针竖 悬针竖是垂直的，不能左右倾斜，注意行笔末端要出锋，但不能一笔甩出，应该有控制地收笔。

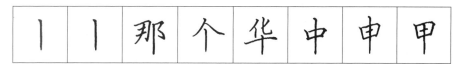

垂露竖 垂露竖不一定是垂直的，在哪一侧便向哪一侧略微倾斜。垂露竖可以代替悬针竖，但悬针竖不能代替垂露竖。

短撇 虽然是撇的一种形态，但是总体应走平势，不能写得太竖，多出现在汉字的上方或左方。

斜撇 起笔不要顿得太重，行笔中加大力量，使整个笔画形成一个肚来，在笔画末端要把撇尖写出来。

竖撇 撇笔里带有竖的笔画，先写竖，行笔到中下段向左撇出。注意与斜撇区别：斜撇的角度更斜。

正捺 正捺在字中多作主笔，是汉字中最难书写的笔画，单独书写时起笔不露尖，收笔角度要缓，右下斜行渐重。

平捺 俗称"之"捺，有一波三折之喻，这种捺笔的写法是平势，与正捺基本相同，但是角度更加平缓。

反捺 反捺形似右点，楷书中若一个字中出现两个以上捺画，可以将副笔的捺画写成反捺。

短提 入笔由重到轻，自左下到右上，行笔轻快，整个笔画不宜长，同时注意提的方向，一般在整个字的左下。

长提 从左上到右下顿笔，转笔迅速行笔向右上出锋，注意提笔的走向，提的角度不宜太大，相对短提，长提行笔更长。

横折 横折是横画和竖画的合写，但重点是在转折，要一笔写成，中间不能断开，横画由轻到重，折笔处稍顿，缓缓下行。

竖折 竖折是竖画和横画的合写，先竖后折，主笔中竖短横长，稳健有力，竖正横平。

竖弯钩 这个组合笔画很难写，该笔画的三个组成部分都不是垂直的，钩不宜长，但要出锋，整个笔画要写出柔中带刚、刚中有柔的特点来。

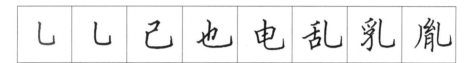

横钩 横笔稍右上斜，略上凸，至末稍顿向左下出钩，钩锋勿长。

竖钩 书写竖钩的关键在于竖要写得直且挺，竖末稍顿左上出钩，钩不宜长，要短而有力。

卧钩 轻入笔平向右下弧行笔，后向左上钩，出钩有力，注意出钩方向。

斜钩 斜钩主要在于斜的角度，太直显得死板，太弯显得太软，这笔最忌讳的是力弱身弯。

弯钩 竖笔略有弧形，下笔轻，向右加力，形似弯弓，向左上出钩，钩短有力。与竖钩笔法略有不同。

横撇 由横和撇画组成。横短撇长，横稍右上斜，转折处右下顿，撇有弧度，折角约45°度。

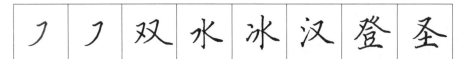

横折钩 书写时由横入笔的拐角最为重要，钩为折的延伸，横折钩的角度在不同的字中可以有不同的写法。

横折弯 由横折和竖弯组成。横折均等，竖弯角度约90°，不能上翘或出钩。

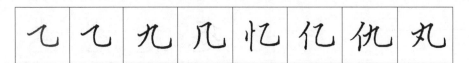

横折提 由横折和提画组成。横短上仰，竖略右挺，夹角要紧，整体呈长形。

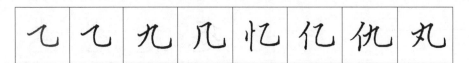

横折弯钩 笔法似横折钩，其不同在折有竖直和斜撇式，最下面笔画的横要较长且水平，出钩向上、有力。

横撇弯钩　由横撇和弯钩组合而成，横撇稍短，弯钩有力，整个笔画一笔写成，一般使用在耳刀旁，在左耳刀时宜窄，在右耳刀时宜宽。

横折折折钩　由横折和横折弯钩组成。上半部分横折不宜太大，下半部分横折弯钩宜展，整个笔画一笔写成。

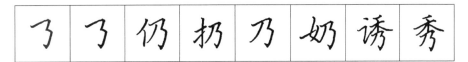

横折折撇　横画先重后轻，第一笔横画稍长，第二笔横画稍短。注意前后两个折的变化，第二个折后撇的书写要有弧度。

竖提　先写竖，运笔到底时一顿，再写一提，提的指向是固定的，提的大小根据实际情况书写。

竖折折钩　先竖后横再竖钩，应当注意竖、横、竖之间笔画的搭配，它们之间不是完全垂直的，钩的出锋不宜长。

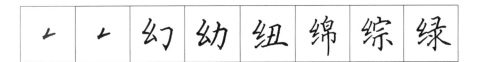

撇折　撇折的折笔似提向右伸，撇提均不长，其身忌大，夹角适当，30°-45°之间。

撇点　撇短点稍长，两头粗，中间细，折角的角度根据不同结构需要适当调节。形稍左倾，书写时需要注意重心。

第三节 钢笔楷书偏旁部首

练习偏旁部首，是与字的整体同时练习，这是因为同一种偏旁部首在不同的字中，有着不同的处理方法。

两点水 两点水的第一点上尖下圆，下点由重而轻，左低右高，呈斜势，上下两点要有顾盼之意。

三点水 由两个右点和一个挑点组成，注意三个点的书写位置不能在一条直线上。

言字旁 横折提的横画左低右高，折角与点相对，字旁窄长，注意字的右部与言字旁的大小搭配关系。

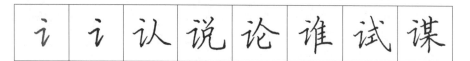

单人旁 由斜撇和垂露竖组合而成，竖画应写直，竖画的起笔交于斜撇的中间略偏下一点。

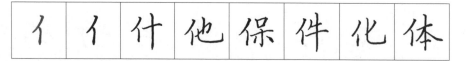

双人旁 双人旁的第二撇要对准第一撇中间下笔，略长，竖画用垂露竖。为了给右半部分挪让，竖画可略向左倾斜。

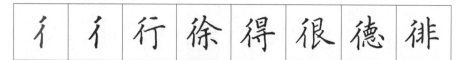

竖心旁 左点不要靠竖画太近，以免显得单薄，右点可以平一些，以求三个笔画的方向变化，整体窄长。

口字旁 左竖和右竖下方略向内倾斜，两横平行，左低右略高，整体短小，位居左部中上方。

田字旁 田字旁和口字旁的写法相似，整体宜小，上宽下窄，在字中位居左上，中间的横不宜与两竖相连。

石字旁 短横和斜撇不要写得太长，"口"宜上宽下窄。整个偏旁与右侧紧靠。

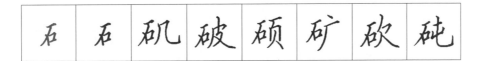

提土旁 由短横、短竖和提组成，但提的角度要根据字形的需求而变化。

王字旁 两短横和提之间间距相等，整体左低右高，整个偏旁要写得狭窄并紧靠右侧。

山字旁 中间一竖起笔相对较高，两边竖较低，右竖最短可以写成右点，竖折的折画左低右高，整体宜小。

提手旁 短横要靠左写，右侧稍露，以便给右半部分留出位置。竖钩的钩不能太长，提画坚定有力，整体窄长。

牛字旁　短横和提都是左低右高，竖画应写直，提画交于竖画中部，提画左长右短。

木字旁　横画左低右略高，点画位于竖画的中部，竖画必须写直，交横画于略偏右处。

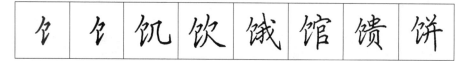

食字旁　上部斜而平稳，覆盖下部，竖提与横钩相对，整体宜瘦长，各部分弯曲有度、错落有致。

金字旁　三短横的间距相等，左低右高，第一横可以写成点，竖提下方可以略偏左一点。

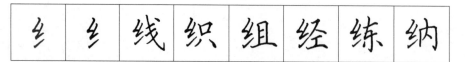

绞丝旁　两个撇折的方向要一致，第一个撇折较第二个撇折角度稍大，提画不能太长，整体忌肥阔。

禾字旁　首撇要短小，与横画平行，竖画用垂露竖，下撇稍长，右点短小，以让出右边部分。

示字旁　横撇的转折处在首点的下方，竖画为垂露竖，右点在竖画的起笔处。

衣字旁　衣字作为左偏旁与示字旁在写法上基本相同，只是衣字旁右侧是两点，书写时不能忘记。

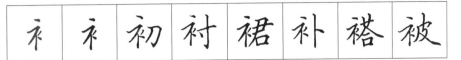

马字旁　横折的竖画和竖折折钩的两竖画下部都向左稍斜一点，下面的提画略向右上倾斜，整体上短下稍长。

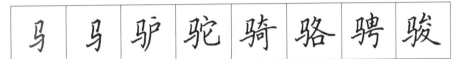

子字旁　横撇的横画和提都是左低右高，弯钩交于提的尾部，整体狭长，紧靠右部。

弓字旁　三横左低右略高，三竖的下部都向左倾斜，弓字整体上紧下松，要写得窄长。

日字旁　三横平行，左低右高，末横可以写成提，但角度不能太大。

月字旁　竖撇不能写成斜撇，横折钩的竖画要写直，两个短横之间等距。

目字旁　左右的竖画都可以向内倾斜，四横平行，间距相等，末横可以写作提，整个偏旁应左低右略高，窄长。

巾字旁　短竖和横折钩的竖画都略向内倾斜，中间一竖为垂露竖，整体瘦长。

米字旁　竖画交于横的偏右处，横稍长左伸，整体窄长，紧靠右部。注意最后的一捺为了让右改写成点。

舟字旁　中横变提势左伸，要左低右高，竖钩一定要写直，钩画不宜太大，注意两点不可太大。

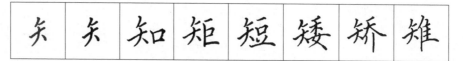

火字旁　注意先后笔画顺序，左点稍低，右边撇点稍高。第三笔为竖撇，捺可改写为长点，以让右部。

矢字旁　注意两撇的不同写法，两横书写时左低右高，末捺可以写作点，整体向右对齐。

虫字旁　"口"部上宽下窄，整体扁平，竖画下方可向左稍斜，并交于"口"字正中，末笔作挑。

虫	虫	蚯	蚂	蜻	虾	蚜	蛇

舌字旁　整体忌宽，偏旁占整个字的二分之一位置，横画左伸以让右。

舌	舌	甜	刮	辞	敌	鸹	舔

足字旁　口不宜大，左右两竖左低右高，最后一笔为提画。注意在左侧时的写法与应用，右部收紧齐平。

足　足　趾　路　距　跳　踢　跃

耳字旁　短横启下，连写两竖，然后写三横，末横变提启右部，竖笔必须用垂露竖。

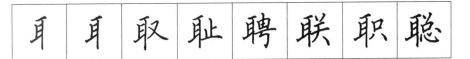

耳　耳　取　耻　聘　联　职　聪

歹字旁　第一笔短横右上行笔，不宜太长，第二笔撇画稍短，整体瘦长，斜而不倒，注意末点位置。

歹　歹　列　残　殉　殆　殍　殛

反犬旁　弯钩的上半部分要尽量写得弯曲一点，与字的右半部分形成背离之势，给人一种美感。

犭　犭　狂　猎　狮　犹　狗　猫

车字旁　短横、撇折的折画和斜提均左低右高，竖画必须写直，用垂露竖，整体要写得狭长。

车　车　轧　轻　辄　轼　软　较

左耳刀　耳钩要写得小巧，下面的弯钩部分要内收，以免影响字的右半部分，竖画用垂露竖。

阝　阝　阴　陈　陆　阿　除　阴

右耳刀　右耳刀与左耳刀位置相反，横撇弯钩要大，耳部上小下大，竖为悬针竖，作字旁上紧下松，呈长形，在整个汉字中稍居右下。

阝　阝　邓　邦　郁　部　邛　那

单耳刀　横折钩的横画左低右略高，竖画下部向内斜。末竖为悬针竖，必须写直。

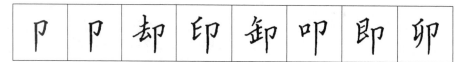

立刀旁　短竖稍偏上，竖钩要写长，钩不宜大并可向内微曲。两竖间距适当，要紧靠左边部分。

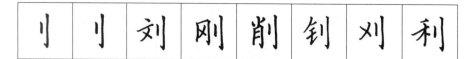

力字旁　一般情况下，撇笔勿长，在字中位居右下，整体斜而不倒。

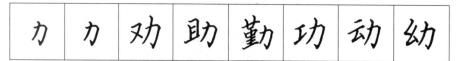

三撇旁　三撇连写，上两撇较短，第三撇较长，三撇指向不一，但间距相等，大小根据左侧部分具体情况而变。

反文旁　短撇和长撇方向一致，斜捺交于长撇中上方，书写时，下部应上靠。

鸟字旁　竖画下方向左稍斜，横画左低右略高，居字右要写正，此类字左小右大。

隹字旁　整体忌宽，四横平行等距，左竖伸展，写作垂露竖。

戈字旁　斜钩要写得稍长，注意太直显得死板，太弯显得柔弱，最忌讳的是力弱身弯。同时，点笔要高扬，撇笔内藏。

斤字旁　注意起笔位置，斤字的第二笔不宜太长，作为右半部分要向左对齐。

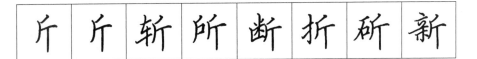

页字旁　竖撇不能写成斜撇，横折的横画左低右略高。贝字呈长形，紧靠左边。

秃宝盖　起笔用左点，下面有长笔画，横钩稍短；无长笔画，横钩稍长，罩住下面。

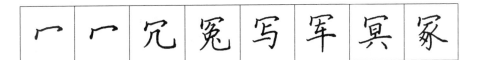

宝盖头　点画用右点或竖点，下面有长笔画，宝盖宜小；无长笔画，宝盖宜大。

穴宝盖　第一笔可用右点，也可用竖点，整体上不要过大，与下半部分协调一致，下面两点上靠以让下部。

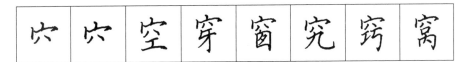

点横头　右点要有一定的斜度，根据下部定位。横要有左低右高之势。

草字头　横画要根据字的需求变化，下面有长笔画，横就短一些；下面无长笔画，就略长一些。

竹字头　左右两部分写匀，要靠拢，左低右略高。

爪字头　撇不宜太长，下面的三点形态、写法各异，但位置是相对固定的。

雨字头　字头要写扁，注意上下关系，短竖应在字正中，左两点略低，右两点略高，四点各具情态。

厂字头　横要用短横，过长会显得压抑，撇用长撇，使整个字形外框显得舒展大方，两笔可断可连。

广字头　也称为"广字框"，由右点、短横与长撇组成。在字的左上方把下部罩住，要写得舒展大方。

户字头　斜点居中，字头不宜大，整体斜而不倒，给右下部分留出充分发挥的余地。

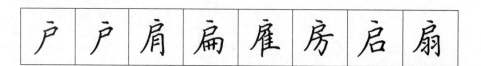

病字头　左边两点不要写得太大，其他写法与广字头相似。注意与右下方的搭配关系。

四字头　整体为上宽下窄的扁梯形，注意四个短竖基本等距但不要平行。

气字头　撇笔不宜长，三横之间等距，横斜钩的弯度要有力，整个字头位置确定下半部分内容。

虎字头　短竖应写直，位于横钩的横画中间。竖撇微曲，要舒展。字头呈长形，注意上下关系，"七"部要向上靠。

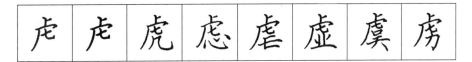

四点底　第一点为左点，其余都是右点，各点间距基本均匀，四点各具形态。

心字底　点画分别用左点、挑点和右点，卧钩曲折有致。整体略向右靠，使字形看上去富于变化。

皿字底　左竖和右竖下方向内倾，中间两竖也略内倾，底横左低右高，要写得长一点，力托上部。

系字底　注意两撇折的排列和大小，书写下部的竖钩时不宜过长，三个点的形状不同。

廾字底　横画要长，托起上面部分，左撇右竖的上部出头均宜短，左撇上直下弯，不与右竖平脚。

女字底　注意笔顺，书写撇折时应考虑其他笔画的位置，整体应该写得扁平些。

走字底　两横有长短区别，彼此平行，呈左低右高之势，捺画伸展。要注意与右边的搭配关系。

走之底　这个偏旁难度较大，折撇弯度不能太大，撇出后接着连写平捺，要舒展。

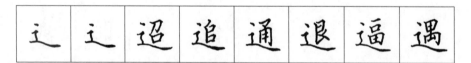

建字底　横折折撇的两个折笔不宜太大，平捺要写得舒展，托住上面的部分，被托住的部分要写小些。

门字框　框形方正，右势强于左势，点画稍上位，里边部分稍居上写。

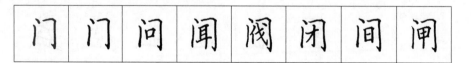

同字框　左竖要写直，末端作垂露状，横折钩的横画右边稍高，竖钩中的竖画略长于左竖。

国字框　上下横画平行，左右竖画挺直，竖钩稍比左竖长，字框整体呈长方形。

区字框　该偏旁由短横和竖折组成。上横短，下横长，下横与上横要平行，字框不宜写得太窄，整体呈长方形。

句字框　要根据框内字的大小进行书写，撇不宜太长，横折弯钩的折要自然过渡，钩不宜大。

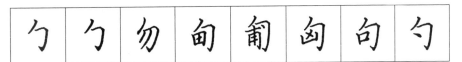

画字框　这个框的形态要上开下收，画字框的大小要视框内部分进行书写。

第四节　钢笔楷书间架结构

间架结构与笔画、偏旁部首有着密切的关系。学习间架结构的目的就是将笔画、偏旁组合而构成一个造型优美的字。要练就一手过硬的钢笔字，很大程度上取决于对结构的掌握。当然，我们也不必把结构看得过于神秘，它也是有规律可循的。只要认真分析，不仅能够掌握，而且可以举一反三，触类旁通。一旦熟练掌握其基本规律，便可轻松自如地写出优美的钢笔字来。

首点居正　点在字顶部的时候，作为第一笔书写，应该位于全字中心之上，是整个字中画龙点睛的一笔。这是点画技法的要诀，首点没有居正，字就显得不精神。

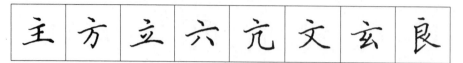

通变顾盼　若有两点以上的就应该彼此呼应，顾盼通变，各具情态，首尾意连。如果字中点与点之间缺少呼应，就会平直死板，状如算子，缺少变化。

心	沙	冷	洋	冰	念	以	溪

点竖直对　一字之中，如果上面有点画、下面有竖画时，应该考虑是否直对，如直对，再考虑点画的位置。需要注意的是，点竖直对，并不是正中相对，所谓直对，是指两个笔画的重心垂直相对。

市	永	帝	店	亩	卒	卞	卒

中直对正　竖画在字中起支撑作用，是字的脊梁。竖不直则字不正，一字之中，如果上下中间有竖画的，那么两竖应该直对。

卡	歪	蛍	常	素	桌	堂	圭

中直偏右　凡有中直笔画的字，竖画都应该垂直劲挺，但应稍偏右，以免显得呆板。

是	下	命	宇	止	定	奉	维

竖笔等距　在字中，如果有两个以上的竖笔，而且竖笔之间无点、撇、捺笔画时，竖笔间距就要基本相等。需要注意的是，竖距虽然相等，但是宽窄要随字形而定，不能千篇一律。

川	册	典	盖	而	仰	相	需

横笔等距　在字之中，如果有两个以上横笔，且横笔之间无点、撇、捺笔画时，其方法同重竖一样，横笔间距要基本相等。横笔间距不等，笔画不协调，整个字就会显得不匀称，缺少协调美。

底竖斜位 凡竖在下方的字，竖画不是全部都居中，或偏左，或偏右。偏右者多，偏左者少。由于此类字的竖笔偏右，在书写时就应左重右轻，以保持整个字的重心平稳。

| 于 | 可 | 夜 | 寻 | 年 | 芹 | 乎 | 序 |

上展下收 "上展"，是指上面部分要写得飘逸洒脱，以显示字的精神；"下收"，下面部分要凝重稳健，以迎就上部，显示字的端庄。如果上下结构的字上下大小一样，形如圆柱体，就会主次不分，显得很呆板。

| 香 | 重 | 祭 | 盲 | 常 | 含 | 令 | 杏 |

上正下斜 "上正"指的是上部要写得端正，上部要端正则竖笔必须垂直；"下斜"指下部取斜势。这样写出来的字才会正而不僵，生动变化。需要注意的是，下部取斜势要斜而有度，重心不能倒。

| 芳 | 霉 | 势 | 穷 | 毒 | 灾 | 霉 | 爱 |

下方迎就 上下结构中凡上部有撇捺等开张舒展笔画的字，下面部分一般都要上移迎就，以使字显得紧凑不脱节。如果下部离得太开，则会使中宫涣散，软弱而缓滞。需要注意的是，下方迎就也不宜挨得太紧。

| 令 | 昏 | 武 | 卷 | 吞 | 吝 | 夸 | 杏 |

左收右放 左边收敛，右边舒展。如果该收敛却舒展，左部与右部争位，主次不分，整个字会显得过宽，很不协调。关键是体会应左收右放的字，左部收敛，右部就应舒展，以使左右部分互补协调。

| 吸 | 峻 | 竹 | 河 | 炖 | 端 | 故 | 聊 |

左斜右正 "左斜"是指左部左低右高，以斜取势；"右正"是指右部横平竖直，以正稳字。需要注意的是，两部不能同时偏斜，同时偏斜字就歪斜了。需要体会左部斜而有度、右部重心平稳的感觉。

| 经 | 班 | 外 | 利 | 姐 | 种 | 如 | 地 |

对等平分 左右结构中虽有避让迎就的字，但也有对等平分的字。对等平分是指左右两部分大小接近、高低对等、宽窄平分，不要一方过高，一方过矮。虽然两部分也有呼应，但却各占一方。

| 帖 | 雅 | 钊 | 朋 | 柜 | 鞋 | 鞍 | 祖 |

左右对称　在写撇之前就要想好捺笔的位置，写捺笔的轻重则要根据撇笔的长短来定。两笔顾盼呼应，笔意相连。撇捺不对称的字，重心肯定会不稳。

秋　呆　全　交　奏　察　文　公

主笔脊柱　字中有一笔是主笔，可以理解主笔为该字的点睛之笔，其他的笔画为辅笔，主笔担当字的脊梁，其他笔画附其血肉，主笔写好了，字就成功了一半。

旦　民　也　吏　申　进　成　代

中宫收紧　"中宫"指的是一个字的核心，中宫收紧而其他笔画向外开展，以字中为核心，内聚外散。

商　并　父　冉　共　垂　分　流

收缩纵展　这是常用的一个书写方法，学书的人都不能违背。收缩为其纵展，纵展反为收缩。

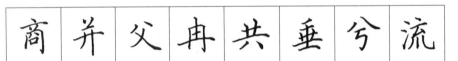

王　左　哥　真　多　平　戌　成

大小独具　字有大小，大的字不可写小了，小的字不可写大了，自然天成，各臻其妙。独体字的笔画相对较少，整体形小；合体字的笔画相对较多，整体形大。

日　小　西　勿　北　豫　凝　辩

连撇参差　多撇的字，如果撇笔长短、指向完全一样，缺少变化，就会显得呆板无生气，所以，应注意变化。撇与撇的间距基本相等，但撇尖角度、指向不一，长短变化，鳞羽参差，显得错落有致。

象　被　泼　反　像　珍　竹　多

三部呼应　由三个部分组成的字，切忌互不相让、各成一部、各占其位，因为这样会让字显得特别肥大。这就如同一个字中的笔画要主次分明，相互避让一样，三个部分组成的字也应互有避让。

智　徽　彬　臂　卿　紧　翔　碧

钩趯匕刃 写钩画，有两个要点需要重点掌握：一是钩身不宜长，钩身都不应长，出钩如出刀，犹如匕刃，出钩要短促而坚挺，长了就会显得笨拙无力。二是重钩的处理办法，钩画一般情况下都要有化减。

围而不堵 书写全包围结构的字时，都不宜堵塞过于严紧，要使字中稍微露出一点空隙。过于严紧会有呆板滞闷、不透气的感觉，应做到围而不堵，守而不困。

斜抱穿插 两个部分组合的字最忌讳远离分散，特别是两部左右相向、斜势穿插的字更是如此，应该双肩合抱，互带穿插，鳞羽错落，呼应强烈，使字紧凑而富有精神。

牵丝粘连 笔画是一个字的筋骨，笔意牵丝为一个字的血脉。这个技法要求笔断意连，形断而意不断，同时应注意各笔画间的大小。

第五节　钢笔行书技法特点

行书是介于楷书和草书之间的一种字体，其书写速度比楷书要快，但又不像草书那样让人难以辨认。正因如此，人们在日常工作、学习、生活中涉及的书写活动，一般都用行书来完成。人们习惯把写得规矩、偏楷一点的行书称为"行楷"，把写得放纵、偏草一点的行书称为"行草"。《教育部关于中小学开展书法教育的意见》中明确指出：随着年级升高，逐步要求行款整齐，力求美观，并学写规范、通行的行楷字，提高书写速度。

行书之所以快捷，是因为它在结构上具有多笔连写、减省笔画、改变笔顺、点画替代和借鉴草法等五个基本特点。

多笔连写 连笔书写可以达到简便流利的目的。汉字中如遇数笔连接或转折，楷书要逐笔分写，而行书往往采取一笔连写。这样使隐含在楷书中的呼应关系，通过"牵丝"体现出来。连笔的方法主要通过上下笔的附钩实现。上一笔收笔附钩为呼，下一笔起笔的附钩为应。两笔之间的"牵丝"应以虚连为主，实连为辅。

简省笔画 简省笔画是根据草书的写法而来的，可使行书达到书写简便、快捷、字形生动多变的目的。减省笔画有一定规律，应以字形结构易认、易写为前提，不能任意省减。

改变笔顺 写字必须讲究笔顺，笔顺合理，点画承接自然，笔意流畅。行书是楷书的快写，其笔顺一般与楷书相同。但为了书写简便、快速，丰富字形变化，行书往往改变某些笔顺，使笔势顺畅、连贯。

点画替代 为了书写快速流畅，行书可以用点代替其他笔画和偏旁，或以简代繁、以少代多。

借鉴草法 行书借用一些草书的综合方法，不仅达到简省的目的，也能使行书的表现力更丰富。

行书的笔法特点决定了它是一种书写速度相对较快的字体，这种特点非常符合当今社会的工作生活节奏。但是，作为练字者需要特别注意的是：如果盲目地图"快"，将会严重影响书写质量，造成字迹不清以及因此而产生的相关问题。在这里，我们将向大家介绍几种行之有效的行书快速书写技巧。

（一）笔画之间相呼应，牵丝相连，减少停顿笔的次数，提高书写速度。

行书所显示出的牵丝，是因行笔速度快而自然形成的细小游丝，而不是生硬的胡乱连接的线条。在书写时，有些笔画可以连接，而有些笔画是不能连接的。

（二）用圆转笔画代替方折笔画，减少行笔过程。

在楷书中，横折和竖折处都要有十分方正的折角，这一点，行书与之不同。行书的一个很明显的特点就是以圆代方，以曲代直，即凡遇转折处，大都稍带弧势地圆转而过。

 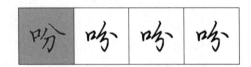

（三）钩画圆润，因行笔速度快而自然产生。

楷书的钩画，一般要斩钉截铁，短小精悍。在行书中，钩作为其他圆转笔画的延伸，因此钩画也较楷书明显增多，如横钩、竖钩、撇钩、点钩等，这是因行笔速度快而产生的自然现象。

（四）变长为短，缩短行笔长度；变大为小，改变笔画形态。

楷书笔画，特别是一些行笔距离较长的长横、长竖、长捺笔画，均要求写到位。而书写行书为节省时间，则可把楷书中的长笔画缩短。

（五）以短小笔画代替其他复杂笔画，以提高书写速度。

行书往往用点来代替其他的笔画或部分，如以点代横、以点代竖、以点代捺等等，因为点的形态小，运笔幅度小，用它来代替较长、较大的笔画和较繁复的部分，会提高书写速度。

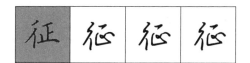 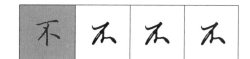

（六）通过改变笔顺来提高书写速度。

在行书中，有时为了快速书写的方便，而改变了楷书的笔顺。在楷书中要求先横后竖，而行书有时却是先竖后横。

 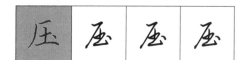

（七）多写多练，增强节奏感，从而提高行笔速度。

在写行书时，应当胸有成竹，一个字要一气呵成，用较快的行笔速度，体现出强烈的节奏变化。

相见时难别亦难，东风无力百花残。春蚕到死丝方尽，蜡炬成灰泪始干。晓镜但愁云鬓改，夜吟应觉月光寒。蓬山此去无多路，青鸟殷勤为探看

李商隐诗无题 田英章书于北京斗室

钢笔行书作品

行书较楷书的笔画有了很大改变，行书的笔画依旧分为八个基本笔画和十多种组合笔画。掌握这些笔画的要领对于写好行书有着很大的帮助。钢笔行书偏旁部首的变化实则是基于毛笔行书笔画的变化，钢笔行书间架结构可借鉴楷书。以下我们就重点为大家介绍钢笔行书的笔画特点。

斜点　由轻到重右下斜向落笔，略顿后向左下勾出。注意其角度和位置，它决定着字的重心。行书的行笔速度较快。

垂点　垂点与斜点相对应，在字的左侧，书写时轻入笔向下稍顿，根据具体情况决定出锋与否。整体不宜大，注意与其他笔画协调。

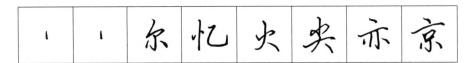

上挑点　由轻到重左下斜向落笔，笔尖略顿后向右上提出。有牵丝连带下一笔之意，要与垂点的写法区别。

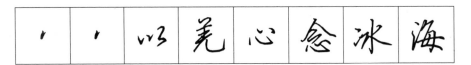

二连点　两点相连，相互呼应，可独立存在，通常一笔连写。一般二连点多用在字头，不能太大，应与其他部分相协调。

三连点　三个点相连，可断可连。常用的写法是前一点虚连，将后两点一笔连写而成。多用在字头的书写。

短横　起笔稍轻，收笔略顿，但不能过分用力。行书与楷书的不同之处在于末端收笔时有可向左下勾出之意。

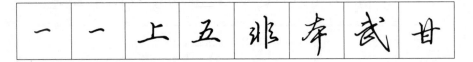

长横 行书的长横和楷书没有什么太大的不同。字中的长横多为主笔，对整个字的美和平衡很关键，要略有扛肩。

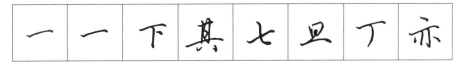

悬针竖 与楷书的写法相似。整体应垂直，不向左右倾斜，虽然出锋，但不可一笔甩出，否则显得飘浮。

垂露竖 垂露竖时常可以取代悬针竖。其形象是末端呈露珠状，书写中不一定都是垂直的。

短撇 短撇是字的精神，用途极广，要注意长短粗细和笔的走向，出锋锐利。

斜撇 斜撇在行书书写时，中间部位要粗一些，但勿过分，整个笔画一气呵成。

回带撇 这种回带出钩的撇画，是行书的特点，意带下面的笔画。回带撇因其形态精巧、弧度适中，在行书书写中被广泛运用。

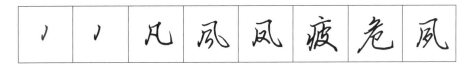

正捺 捺笔形似字的"脚"，和左边的撇形成呼应。在行书书写时，为了更为便捷行笔，捺也可写为反捺即长点。

平捺 平捺在字中很出彩，书写要把握好它的角度和长短，一波三折，行笔注意力度，向右下斜行。

反捺 在行书书写中捺画写法灵活，反捺一般用在有重捺的字中，使汉字形态更多样，不僵硬，使其笔画更灵动。

提 入笔右下略顿，即向右上有力提出，尖锐锋利。注意长短和提笔的走向，根据字的大小协调调整。

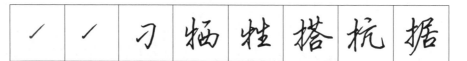

横钩 行书横钩的转角处，不必像楷书一样严谨，但要处理得坚实有力。出钩有力，钩身宜小，整个过程行笔圆润。

竖钩 竖钩的出钩更加随意多变，除可向左上方勾出外，还可向左下方出锋。在行书中有些竖钩可以减省书写为竖。

弯钩 竖笔略有弧形，挑钩有力。有时笔行至中下部处略向左折后出锋，整体不失重心，做到弯而不倒，有时将钩省略。

斜钩 斜钩一般作为一个字的主笔出现，要大胆拉长，最忌写短，钩身要有力度，注意弧度不能太大。

卧钩 入笔要轻，呈尖，渐渐加重，其角度一定要正。末端出锋意带下笔。作为心字底出现的时候，钩身宜靠右。

竖弯钩 竖弯钩中，竖笔下行应稍细，拐弯自然，尾部向上挑出，勿长，出锋干净利落。

横折 向右行笔，略右上斜，折笔写竖。折笔处要自然圆润，竖略内倾，折的大小根据在字中的位置确定。

竖折 坚强有力，转折自然。转折处忌过于僵硬，要自然过渡，折后的横要根据在字中的位置决定。

横撇 横短撇长，撇宜舒展。注意角度与笔画的粗细，不能因为笔画舒展，就随意出笔。

横撇弯钩 多用于左耳旁或右耳旁，看其相似，但技法完全不同，注意书写时的节奏。

横折钩 横长竖短，横短竖长，因字而异。折钩为左上势，转角处不宜太死。

撇折　撇与提的结合，衔接处要自然，夹角角度要适中。

撇折点　在行书中，撇折点中的点画要拉长，书写中要注意长短与角度。

横折折撇　横带斜势，左伸。下部折撇需要注意其夹角和撇画的长短。

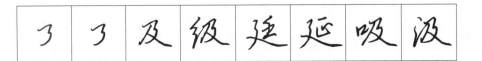

横折折折钩　行书的写法不同于楷书，则先写撇，不脱笔顺势简写横折折折钩。

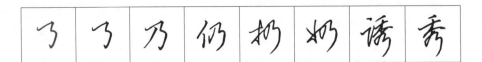

竖折折钩　竖折与横折钩相结合，要处理好每一处转折，转折自然，忌过于僵硬。

竖提　起笔重按向下慢行笔，中段含微弧，注意提的指向与后边笔画的呼应关系。

横折提　横短右上翘，折笔方棱，提有力，不宜长，整体形不宜大。

第六节　硬笔书法作品欣赏

　　在本节中，我们将为大家呈现多幅硬笔书法作品，希望大家能从中感受到硬笔书法不同于毛笔书法的美。（以下作品由四川省硬笔书法协会提供）

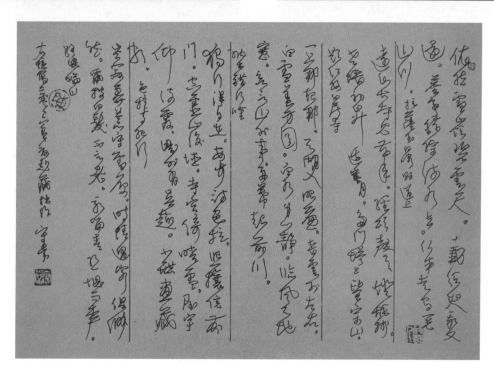

六六黄之峰古凌霄漢清巇淨無雲
争朱列幾案寺憧天際懸樹色空中
灯飛瀑幾千尋高風吹不斷俄然吐
煙霧近遠山峰乱渾如大海濤浩渺
靡涯岸少馬嵐氣收秀嶺芙蓉灿吊
轉能換真精自有可求丹鼎還堪鍛
將訪浮正旦夕煙霞畔

辛卯夏將录杜甫詩一首於成都郭百林

瀛壖泰埴薮地嶮隘山川渾池自太古洪溆
開吴天仰欽成池津俯灌東南偏龍宫喝瑰
巇鮫室闕幽玄孕化晨陽吐涵虚霄豪懸洪
流既湍沛列嶂亦廻延雲標海上關石秀鏡
中蓮開冬春蕭氣落木浩無邊黄鵠有奇翼
八表恣周游懷儻揚帆忽天矯杰水驕虬
丘壑尚綿懷鸞鶴縱浮丘公炊忽蓬萊巔夙有
龍五湖澤秋掌三州溫雲霄金屏西地軸王
鏡開天容標四漬亞浸維百谷空丹丘駐
震人蚖化處千載空芙蓉咄犹犬委窃鼠
巢孤松

呈戥哥口經湖中聽眺三首壬辰年春蜀人蕭力書

110

第四章 粉笔书法

粉笔也是硬笔的一种，粉笔字的书写练习，其实就是为了更好地完成课堂教学中的"板书"。所谓板书，通常是指用粉笔在黑板上写字。但对于教师和师范生而言，"板书"不仅是指黑板上的粉笔字，还包括板面的布置、书写内容的条理性、书写内容与口授内容的协调性等。本章将对粉笔书写中的注意事项、板书的设计基础等进行介绍。粉笔字技法可参考钢笔部分的内容，在此就不作过多赘述。

第一节 书写姿势与运笔方法

普通的粉笔约二寸长，为一头粗一头细的圆柱形，很硬很脆。现在使用的粉笔主要有普通粉笔和无尘粉笔两种，其主要成分均为碳酸钙（石灰石）和硫酸钙（石膏），或含少量的氧化钙。粉笔不同于毛笔和钢笔，自身是笔杆又是笔头。因为板书通常是站着写，且板面与人体平行，所以要讲究站得稳，两脚平放地面且分开与肩同宽，执粉笔的手臂自然弯曲，另一手臂自然下垂，头要正。一般情况下，板书者都是面对黑板，背向学生，但有特殊需要也可侧向黑板，侧向学生。另外，根据板书者身高的不同，板书时亦可适当踮脚或下蹲，以适应板面高低的需要。总之，正确的板书姿势要与实践相结合。

立式书写

蹲式书写

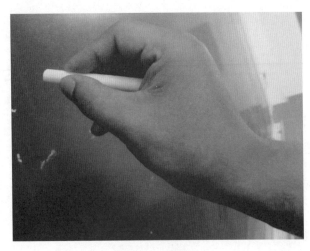

粉笔握笔姿势

因为在进行粉笔书写时，手腕、手臂均要悬起，因此，粉笔的执笔姿势也不同于毛笔和钢笔。粉笔通常采用"三指法"，即拇指、食指、中指三者齐力握笔，拇指、中指对应相抵，食指在前控制行笔方向，无名指和小指自然弯曲。食指距离粉笔头约 1.5 厘米，这样书写起来既着力又灵活。如果离粉笔头太近，手指会接触到黑板，影响书写效果；如果离笔头太远，无力控制行笔，写出的笔画会太轻而不清晰，并且容易折断粉笔头。执粉笔时，还应做到"指实掌虚"。"指实"即手指执笔要紧而有力；"掌虚"就是手心不能握拳，而要留有一定的空间，这样运笔才更加灵活。

所谓运笔，就是在写字时，粉笔在黑板上行走的运动过程。这一过程留下白色痕迹，就是点画，由点画再构建成字。因此，讲究运笔，点画就有生气，再加上结体合理，字就美观。讲究运笔，就是在书写不同点画的过程中，行笔讲究提、按、顿、挫、转折、快慢等。

"提"，就是将粉笔从板面提起，使笔迹从粗到细 (如果提笔最后离开板面，笔迹就由细到无)。

"按"，就是将粉笔在板面上重按，使笔画变粗，运笔的提按往往是在同一笔画中完成，如斜撇的写法就是先按后提，以收到右上粗、左下细的笔画效果。

"顿"，就是在"按"的基础上停顿一下，使点画的某一处圆浑而有力度。"顿"经常在点画的起笔、收笔处体现出来。

"挫"，是指转换笔尖方向的一种急促而有力的行笔方式，常和"顿"一起连用，称为"顿挫"，比如在钩画的出钩处就要用"挫"。以竖钩为例，钩画就是先顿后挫，粉笔尖扭转方向而形成的一种运笔线路。这样能收到蓄势跃出的效果，如果没有"挫"笔扭转作准备，而径直出钩，钩画会缺乏神韵，显得呆板。

"转折"，也是改变粉笔尖书写方向的一种形式，但它不像"挫"那样急促，而是圆转地改变运笔方向。由于粉笔写到一定程度会磨损成扁平，于是出现线条粗细不均，我们通过转折运笔也正好能弥补粉笔书写的这一缺陷。

"快慢"，指的是点画行笔速度。"快"便于连带而易写出气势，"慢"便于沉着而不易轻滑。有时某一笔画的运笔过程就有快慢之分。如写"悬针竖"，先慢后快，将粉笔渐渐提起，以行笔惯性出锋，使笔画锋芒毕露，如针之悬。运笔在某一笔画中有三个步骤，即起、行、收。相对而言，楷书运笔较慢且迟重，而行书多连带，运笔快而轻盈。

提	按	顿	挫	转折	快慢

第二节　粉笔楷书基本笔画

　　笔画是构成汉字的基本部件。因此，了解并熟练书写各种形态的笔画是写好粉笔书法的重要一环。按照《现代汉语字典》，楷书的基本笔画有八种：点、横、竖、撇、捺、挑、折和钩。通过这些基本笔画又衍生出多种组合笔画。

粉笔楷书基本笔画示范书写

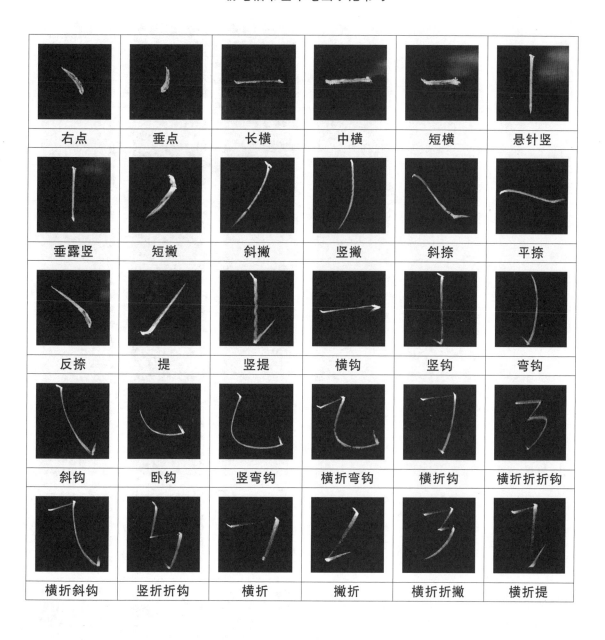

右点	垂点	长横	中横	短横	悬针竖
垂露竖	短撇	斜撇	竖撇	斜捺	平捺
反捺	提	竖提	横钩	竖钩	弯钩
斜钩	卧钩	竖弯钩	横折弯钩	横折钩	横折折折钩
横折斜钩	竖折折钩	横折	撇折	横折折撇	横折提

SANBIZIJICHUJIAOCHENG

全国普通高等院校
书法培训教材

第三节　粉笔楷书偏旁部首

　　偏旁部首是构成汉字的主要部件，是介于点画与结体之间的一种形态。练习粉笔字时，可将相同偏旁部首的字聚在一起写，举一反三，收到事半功倍的效果。

粉笔楷书偏旁部首示范书写

亻	仁	位	刂	别	刚
冫	冰	冲	讠	记	说
卩	即	印	阝	陈	院
阝	邓	郊	扌	打	找
彳	征	得	彡	彩	影
犭	犯	狗	氵	池	清
忄	饭	饼	忄	慢	性

子	孙	孔	纟	细	绿
士	地	坦	王	理	班
木	松	桃	牛	牺	特
攵	放	敢	火	烂	灶
礻	祖	社	衤	袖	衬
钅	钱	铁	禾	利	科
米	粉	粮	足	跑	跃
车	轮	转	山	峰	岭
口	哎	呜	石	破	研

日	时	昨	目	眼	瞟
月	肥	胖	贝	购	财
鱼	鲜	鲸	虫	蚂	虹
弓	张	弘	马	驰	骄
鸟	鸡	鸿	女	好	妈
方	施	旗	巾	帜	幢
厂	压	原	广	庆	庞
尸	局	属	户	肩	雇
宀	军	写	亠	文	交

廿	花	莫	竹	篮	筱
六	家	宗	穴	穷	突
云	受	舜	夫	春	奉
人	合	会	父	斧	爷
雨	霞	雷	广	病	疯
虍	虎	虚	灬	点	杰
皿	盖	盐	心	忠	思
又	延	建	走	赵	超
辶	过	道	门	同	网

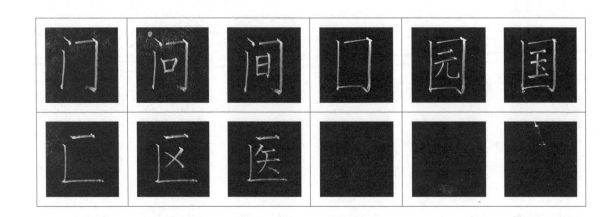

第四节　粉笔楷书结构特点

我们在进行练习时，还应正确处理粉笔字的结构关系，使笔画组合得当、字体严谨美观。

一、粉笔字应呈"方"形

粉笔楷书中的大部分字都呈方正的外观形态。这是因为在书写粉笔字时，仅有部分笔画的起笔或收笔位置处于方块以外，其他部分都在方块以内。当前使用的许多黑板上都印有不显眼的方格作为书写指示框，这就要求我们在练习过程中应尽量把字写得方正。

二、分析结构比例

粉笔字的方形结构决定了在书写时必须解决好字体各部分所占比例大小的问题，这样做对定位每个笔画起着非常重要的作用。在练习时，可按照不同比例对字形各部分进行划分，把握组合比例。

三、体现上紧下松

"疏能跑马，密不透风"，在书写时还要注意对字体上下疏密程度的控制，只有疏密搭配得当，才能写出漂亮的粉笔字。粉笔字通常要做到上紧而不挤满，下松而不空缺，松紧适度，这样才能使字看上去更加协调。

四、强调内紧外松

进行粉笔字练习，要将字的内部写得紧凑，外部写得舒展。结体严谨的字，看上去几乎所有笔画均在字的中心点聚拢，形成整体；又好像所有笔画均由中心向外部发散，具有洒脱之感。可见，对粉笔字内紧外松的处理是解决笔画组合问题的手段，也是蕴造字形美观的条件。

五、注意左收右放

一般来讲，在书写粉笔字时，左边的笔画收缩，右边的笔画开放。特别是对于左右结构的字，这种特点更加明显。形成粉笔字左收右放的原因有二：其一，处于左边的笔画大多具有收势，而右边则相反；其二，结构变化的需要。

六、做好穿插呼应

笔画的穿插呼应一直以来都是书写练习中的难点。对于粉笔字而言，有效的解决方法是：依据字帖中提供的范字，了解笔画穿插呼应的作用；通过训练把握规律，熟练写法，笔画间的合理穿插增强了字体各部分的联系，使字形神兼备。

七、力求重心稳定

找准字的重心同样也是书写练习中的难点。粉笔字是方块字，但大部分均衡而不对称，这就给确定字的重心增加了难度，在书写时如果无法找准字的重心，就会出现字体东倒西歪的状况。所以，在练习时，首先要将字写端正。在练习初期，建议不书写倾斜的粉笔字。

八、切记空放满收

在方框内练习粉笔字时必须明确哪些笔画收缩，哪些笔画顶格。凡平行于方框线的笔画给人以扩张感，故书写这类笔画应适当收缩，称为"满收"，如写"国"字；凡与方框相交的笔画，顶格书写较为恰当，称为"空放"，如写"单"字。而与方框相交点少的字，置于框内来写则显小，如"令"字，只有适当"破格"才感觉大小适宜。

行书源于楷书，故而掌握粉笔楷书写法后，先练行楷，再练行书，是行之有效的练习模式。进行粉笔行楷、行书练习时，在遵循上述原则的基础上，应根据其行笔快的特点，对笔画连接和行笔方法等进行专门训练。因与钢笔类似，在此就不再赘述。

第五节　板书设计的意义和方法

在现今教学活动中，由于引入了多媒体等高科技教学手段，板书的优劣往往不受重视，有时甚至被忽视，认为其可有可无。而事实上，板书是教学过程中课文思路、教师思路和学生思路三者凝结而成的艺术结晶，是教学过程中不可缺少的一个组成部分。针对教材而言，板书是课文精华的浓缩，板书设计得好，运用得好，能化复杂为简单，化紊乱为条理，化抽象为直观。从美学角度看，它是课堂教学的精品展示，给学生的视觉效果是严谨、科学和简洁的结构美。遵循板书的科学性及充分发挥板书的艺术性，能提高教学效率，优化课堂结构。

要设计出好的板书，首先必须明确板位划分问题。板位划分就是有意识地将教学用黑板划分为多个区域，书写不同的教学内容。例如，在语文课中，我们将黑板划分为标题区、表格区和活动区。标题区用于书写课文的标题及中心思想；表格区用于以表格形式呈现课文中的内容；活动区所书写的内容可以写了又擦，擦了又写，通常为解释、说明性文字，或要注意的字词句……以上各区域所占黑板多少面积，应视教学内容的具体情况而定。

在了解了板位划分后，我们应该怎样设计适应课堂教学的板书呢？首先，应着眼于教材，多方位、多角度地去思考分析。在熟悉教材的基础上，根据课文的结构特点及情节展开需要进行处理，或根据陈述对象的特征、种类和属性进行组合安排，甚至可以直接抓住课文的线索来设计板书。其次，设计板书时，应考虑到学生的年龄特征、认知水平和思维特点，以此作为依据，力求使板书形象和直观，学生易于接受。

一、夸张式板书

用夸张的艺术手法故意夸大或缩小，或借助一些技术手段进行处理，更集中、深刻地揭示事物的本质特征。

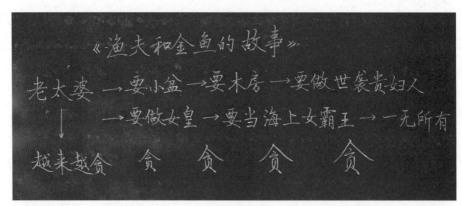

课堂板书实例 1

二、简笔画式板书

借用简笔画，把语言文字转化成直观、形象的画面。借助画面的艺术表现能力，加深对文字内容的理解，在课堂教学中，往往需要配合教师精彩的解说，加以润饰，才能变得有声有形。

粉笔简笔画

三、对比式板书

把相近或截然相反的两件事物放在一起进行比较，分析其特点，进一步揭示事物的本质特征和发展规律。

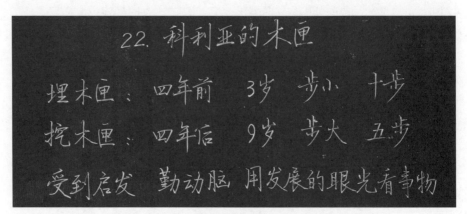

课堂板书实例 2

四、分步式板书

根据课文讲解的需要逐步板书，有计划地向预设的整体效果发展。根据讲解的需要逐步写出板书，最后构成一个综合的图解，就是我们预设的效果了。

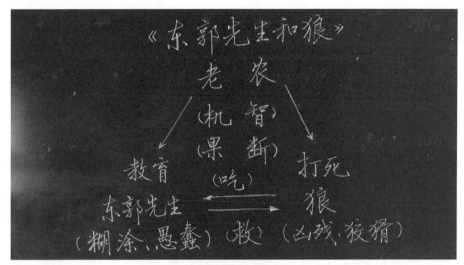

课堂板书实例3

五、概括式板书

把课文的内容用精练、简洁的词语进行概括的地说明。

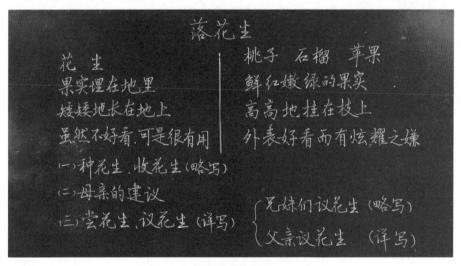

课堂板书实例4

六、图示式板书

通过借助各种辅助符号，如箭头、直线和方格来表现事物的外部特征，虽然直观性强，但需要添加文字说明。

板书的设计形式是多种多样的，教师应根据教材的实际进行创造性设计，运用多种辅助手段来体现课文的主题，使平实的教学活动获得艺术的升华。板书的设计力求要收到"讲起来方便，写起来顺手，看起来自然，记起来深刻"的良好效果，并达到科学性与艺术性的高度结合。当然，要真正发挥板书的功效，还要与教师精辟的讲解、分析、提问和讨论等教学活动相互协调、联系起来，以达到提高教学质量的最终目的。

全国书法等级考核参考标准

级别		考试要求	字数	规格 cm	时间
1级	自选或临摹	①"永字八法"中的点画要求能准确地予以表达。②能较好地运用书法中的一般书写技能，如提笔、顿笔、按笔、挫笔等。③能平衡点画之间的关系，字形结构较为平正。④字与字之间的安排合理，初步具备协调作品整体布局的意识。(楷书一件)	临摹不少于10字，创作不少于8字(必须成句)	66×33 或 66×45	90分钟
2级	自选或临摹	①点画分明，能较熟练地运用书法中一般的书写技能。②结构平正，能初步协调点画之间粗细轻重等关系。③字与字之间的安排合理，有明显的协调作品整体布局的意识。(楷书一件)	临摹不少于10字，创作不少于8字(必须成句)	66×33 或 66×45	90分钟
3级	自选或临摹	①用笔手法较为多样，且能根据点画的不同表现特征加以运用。②点画之间粗细、长短、轻重的关系处理较为明确，结构安排合理。③能初步协调作品内文与落款的位置关系，整体布局较为统一和完整。④临摹作品要求能根据字帖所示的特点，加以正确地表现。⑤创作作品要求能大致根据所临字帖的特点来创作。(此点可根据实际情况，不作过高要求)(楷书一件)	临摹不少于15字，创作不少于10字(必须成句)	66×33 或 66×45	120分钟
4级	命题	①用笔的手法较为多样，且能根据点画的特点来强调书写时的速度关系(轻重缓急)。②点画之间的呼应关系处理较为明确，已初步掌握笔势的运用手法。③结构安排合理，且能通过点画的伸缩避让来丰富变化。④字与字之间和空间关系处理得体，且布局上能与落款字的大小、位置相协调，整体布局完整、统一。(楷书一件)	8字以上词句或五言诗一首(20字以内)	66×33 或 66×45	120分钟
5级	命题	①点画分明，用笔精到，能较合理地控制书写时的速度关系(轻重缓急)。②点画之间轻重长短、伸缩避让的关系处理明确，笔势的引带较为生动、随意，结构安排合理。③字与字之间的空间关系处理较为得体，作品内文与落款的大小、比例较协调，整体布局完整。(楷书一件)	8字以上词句或五言诗一首(20字以内)	66×33 或 66×45	120分钟
6级	命题	①用笔精到，具有较强的控制书写速度(轻重缓急)的能力。②点画之间轻重长短、伸缩避让的关系处理较明且多样。③结构安排合理，且能通过笔势的引带来丰富造型的变化。④字与字之间的空间关系处理较合理，能充分运用落款字的大小比例(包括印章的大小比例)来协调作品的布局，作品整体布局完整。⑤行书作品可适当放宽标准，以是否掌握其一般规律为准则。(楷书一件、其他书体一件)	8字以上词句或七言诗一首(28字以内)	66×33 或 66×45	120分钟
7级	命题	①笔画丰润劲爽，粗细、长短等变化自然，具有较强的点画造型方面的能力。②用笔精到，能在合理地控制书写速度的同时将节奏的表现性(动感)加以强调。③点画之间伸缩避让的关系处理较明确且生动。字形结构的疏密关系处理较为得体，能通过笔势的引带来丰富造型的变化。④字与字之间错落有致，关系处理协调、自然。⑤能充分运用落款字的大小比例(包括印章大小比例)来协调作品的布局，作品整体布局完整。(楷书一件、其他书体一件)	8字以上词句或七言诗一首(28字以内)	66×33 或 66×45	120分钟
8级	命题	本级具体内容可参照7级的标准，在此基础之上，适当提高标准的层次，即要求作品在整体上必须具有较强的表现色彩，局部处理上能合理地渗入个人的理解成分(如线条枯、涩、浓、淡的质感处理，字形结构以虚当实、化实为虚的造型组合等)。篆书临摹作品可适当提高标准的层次，要求作品从特点的把握上去体现原帖的精神风貌，表明书写者较高的书写水平及较强的结构造型能力。(写篆书作品的考生可带篆书字典进入考场。交三种字体作品，其中一件必须是楷书)	10字以上词句或七言诗一首(28字以内)	66×33 或 66×45	150分钟
9级	命题	①能理解所书三种字体的一般规律。②对不同变化的线条具有较高的悟性，且表现手段多样、灵活，有较浓烈的感情色彩。③结构安排合理，且充满生机和活力。④作品布局从内文、落款到盖印和谐、完整，具有较强的感染力。(交三种字体作品，其中一件必须是楷书，不可带字典进入考场)	10字以上词句或七言诗一首(28字以内)	66×45 或 99×33	150分钟
10级	命题	在9级基础上，适当要求四件作品的风格能大致统一和协调。注:通过点画的伸缩避让来丰富变化。某些具体内容，如用笔、结构等，可参照前几级的标准(交四种字体作品，其中一件必须是楷书，不可带字典进入考场)	15字以上词句或七言诗一首(28字以内)	66×45 或 99×33	180分钟

注:所有级别作品均应落款，6级及以上级的作品必须加盖印章，其他书体指行、隶、篆、草四种字体，1-3级临摹限用正规出版古人字帖。